집주인에게 고한다

계약을 연장하라!

카리나 얀 글레이저 지음 | 권지현 옮김

씨드북

댄에게

"집은 세상에서 가장 편안하고 즐거운 곳이었다."

엘리자베스 엔라이트, 『2인용 거미집』

"나와 집은 아주 사이좋은 친구다."

루시 모드 몽고메리, 『빨강머리 앤』

목차

12월 20일 금요일

1

한적한 141번가의 브라운스톤. 이곳에 사는 밴더비커 가족이 가족회의를 위해 거실에 모였다. 반려견 프란츠, 반려묘 조지 워싱턴, 반려 토끼 파가니니는 카펫 위에서 오후 햇볕을 쬐며 낮잠을 즐기고, 벽을 타고 이어진 파이프들은 사이좋게 합주를 한다.

"좋은 소식 먼저 들을래, 나쁜 소식 먼저 들을래?"

밴더비커가 다섯 아이들의 눈이 한꺼번에 엄마 아빠에게 쏠렸다.

이사와 레이니가 먼저 외쳤다.

"좋은 소식!"

이에 질세라 제시, 올리버, 히아신스도 대답했다.

"나쁜 소식!"

"알겠스, 좋은 소식 먼저!"

결국 결정은 아빠가 해 버렸다. 아빠는 안경을 만지작거리며 잠시 숨을 고르고는 뜬금없이 물었다.

"엄마랑 내가 얼마나 너희들 사랑하는지 알지?"

스스로 세상 물정에 훤하다고 믿는 아홉 살 올리버는 읽던 책을 내려놓으며 아빠를 흘겨봤다.

"엄마 아빠 이혼하는 거지? 지미네 부모님도 이혼하셨대. 이혼한다고 말하고 지미한테 애완용 뱀 사 줬대."

올리버는 깔고 앉은 낡은 백과사전을 뒤꿈치로 툭툭 차면서 말했다.

"아니, 우리는……."

아빠가 대답하려고 하는데 일곱 살 히아신스가 눈물이 그렁그렁한 눈으로 속삭였다.

"우리를 사랑하는 거 맞지?"

"물론이지."

엄마가 대답했다.

"이혼이 뭐야?"

네 살하고 9개월 된 레이니가 앞구르기 연습을 하다가 끼어들었다. 레이니는 빨간 체크무늬, 연보라색 줄무늬, 하늘색 물방울무늬가 들어간 옷을 직접 골라 입고 있었다.

"엄마랑 아빠가 더 이상 서로를 사랑하지 않는 거야."

열두 살 제시가 검은 뿔테 안경 너머로 부모님을 응시하며 말했다.

"악몽이 따로 없군!"

그러자 제시의 쌍둥이 자매 이사가 거들었다.

"만약 그렇게 되면 우리는 엄마 아빠 사이를 왔다 갔다 하면서 살아야 해."

바이올린을 들고 있던 이사는 소파 손잡이에 활을 콕콕 찔러댔다.

"명절이랑 여름 방학을 번갈아 가면서 보내야 한다니! 헉, 나 병 걸릴 것 같아!"

그러자 엄마가 양손을 치켜들고 외쳤다.

"그만! 얘들아, 제발, 그만해! 아빠랑 엄마 이혼하는 거 아니야. 말도 안 되는 소리! 여보, 이러는 게 아니었어."

엄마는 아빠를 흘깃 보더니 숨을 깊게 들이마시면서 잠시 눈을 감았다. 이사는 엄마 눈 밑에 지난주만 해도 없었던 다크서클이 있는 걸 보았다.

엄마가 다시 눈을 떴다.

"처음부터 다시 시작하자. 자, 먼저 이 질문에 대답해 봐. 너희들 이 집에 사는 게 얼마나 좋은지 1부터 10까지 점수를 매겨 봐."

아이들은 뉴욕시 할렘가 브라운스톤에 있는 자기네 집 안을 한 번 훑어보았다. 아이들이 사는 집에는 지하실이 있고, 1층에는 부엌과 이어진 거실, 화장실, 세탁실이 있다. 2층에는 방 세 개, 끌어내리면 침대가 되는 벽장이 있는 올리버의 방, 화장실이 나란히 있다. 1층 뒷문을 열면 작은 마당이 나오는데, 그곳에는 어미 고양이가 갓 낳은 새끼들과 수국 덤불 밑에 둥지를 틀었다.

아이들은 엄마의 질문에 대해 곰곰이 생각했다.

그러더니 제시, 이사, 히아신스, 레이니가 동시에 외쳤다.

"10점!"

눈을 가늘게 뜨고 엄마 아빠를 의심스럽게 바라보던 올리버는 엉뚱하게 대답했다.

"100만 점."

"여긴 세상에서 제일 좋은 집이야."

레이니는 이렇게 말하며 다시 한 번 앞구르기를 하다가 이사의 보면대를 쓰러뜨렸다. 놀란 반려동물들이 사방으로 흩어졌는데 프란츠만 악보가 몸 위로 떨어졌는데도 아랑곳하지 않았다.

이사도 레이니의 말을 거들었다.

"우린 평생 여기서 살았는걸! 여긴 완벽해!"

그러자 제시가 지적했다.

"비더먼만 빼면."

비더먼 아저씨는 4층에 사는 아주 불쾌한 이웃이자 건물 주인이다.

"비더먼 아저씨라고 해야지."

아빠가 제시를 나무랐다.

"아무튼 비더먼 씨 얘기를 꺼내다니 재미있구나."

아빠는 자리에서 일어나더니 소파 앞을 서성거렸다. 얼굴이 어찌나 어두운지 항상 보이던 웃음 주름이 다 사라질 지경이었다.

"사실 이러리라고는 예상 못했었는데, 비더먼 씨가 우리 집 계약을 갱신하지 않겠다고 하시는구나."

그러자 제시가 가장 먼저 반응했다.

"그게 무슨……?"

"나쁜 아저씨!"

올리버는 소리를 질렀고, 사정을 모르는 레이니는 물었다.

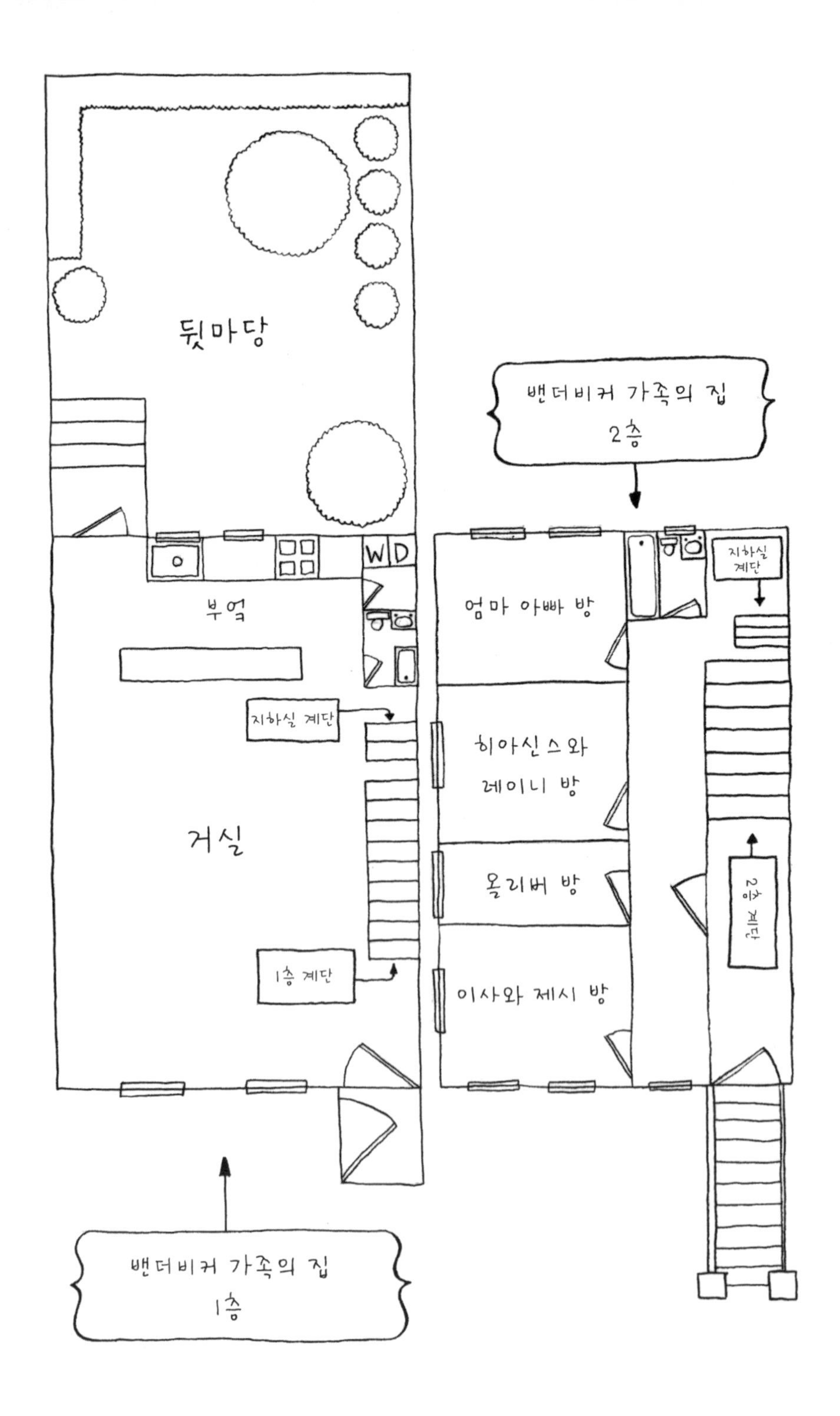

뒷마당
W D
부엌
지하실 계단
거실
1층 계단
밴더비커 가족의 집
1층
밴더비커 가족의 집
2층
엄마 아빠 방
지하실 계단
히아신스와
레이니 방
올리버 방
2층 계단
이사와 제시 방

"계약이 뭐야?"

아빠는 아이들의 반응은 아랑곳 않고 계속 말을 이어갔다.

"올 한 해 너희들 모두 비더먼 씨를 귀찮게 하거나 시끄럽게 굴지도 않고 어른 대접도 잘해 드렸는데……. 2년 전에 올리버가 야구공으로 그 집 창문을 깼을 때 내쫓기는 줄 알았는데 말이야. 프란츠가 그 집 문 앞에 영역 표시를 했을 때도 그렇고. 오히려 아무런 문제가 없었던 올해 우리를 내쫓는다니 그게 더 놀랍다."

아이들도 고개를 끄덕이며 천사 같은 눈으로 아빠를 바라보았다. 연초에 터졌던 작은 사건만은 아무도 떠올리지 않기를 바라는 올리버만 빼고. 올리버가 원반던지기 놀이를 하다가 스프링클러 파이프를 부러뜨리는 바람에 비더먼 아저씨네 열린 창문으로 물 폭탄이 떨어졌었다.

아빠는 스프링클러 사건 얘기는 꺼내지 않았다.

"이달 말에 이사 나가야 할 것 같아."

그러자 아이들의 분노가 폭발했다. 콧등을 타고 자꾸만 미끄러지는 안경을 치켜 올리며 제시가 외쳤다.

"진심이야? 우리가 얼마나 착하게 굴었는데! 우리 머리 위에 천사의 링 안 보여?"

올리버도 거들었다.

"건물 앞에서 농구 연습 안 한 게 벌써 몇 달째라고!"

레이니는 아무렇지도 않은 듯 다시 물었다.

"계약이 뭐냐니까?"

제시가 다시 외쳤다.

"이사도 빌어먹을 지하 감옥에 갇혀서 바이올린 연습을 했다고."

"말조심!"

엄마가 나무랄 때 이사가 끼어들었다.

"난 지하에서 연습하는 거 좋아."

아빠는 레이니를 바라봤다.

"계약은 우리가 이곳에 산다고 비더먼 씨와 약속한 거야."

레이니는 또 한 번 공중제비를 준비하면서 아빠의 말을 생각했다.

"그럼 아저씨는 우리랑 같이 살고 싶지 않은 거야?"

"그런 게 아니고……."

엄마가 말끝을 흐렸다.

"비더먼 아저씨 안아 줘야 해."

레이니는 완벽한 앞구르기를 한 번 돌더니 그대로 배를 깔고 누워서 소파 밑에 숨은 파가니니를 찾았다.

제시는 벽에 걸린 달력을 보며 물었다.

"그럼 이제 끝이야? 이사 가기 전까지 열흘 하고 하루 남은 거야?"

"아저씨는 정말 우리를 크리스마스 다음 날 이사 가게 만들 작정인 거야?"

이사가 물었다.

"프란츠가 자꾸 짖어서 그런 거야?"

손톱을 물어뜯던 히아신스가 물었다. 프란츠는 히아신스가 자기 이름을 부르는 소리에 꼬리를 살랑거리고 눈을 한 번 크게 뜨더니 다시 감았다.

"내 잘못인가 봐."

아이들 모두 이사를 바라보았다. 완벽한 이사가 집에서 쫓겨나는 원인일 거라고 생각하는 사람은 아무도 없었다.

"내가 바이올린을 켜잖아."

"얘들아, 너희들 잘못이 아니야."

엄마가 나섰다.

"작년에 아빠랑 아서 삼촌이 방열창 설치한 거 기억해? 옛날 창문보다 방음 효과가 더 뛰어나니까 바이올린 때문은 아니야. 비더먼 씨에게 우리가 이 집에서 더 살 수 있게 해 달라고 부탁도 해 봤어. 비더먼 씨네 문 앞에 라벤더 마카롱도 한 박스나 두고 왔는걸."

엄마는 눈을 빠르게 깜빡거렸다. 파티시에인 엄마는 마카롱을 아주 중요하게 여겼다.

"낭비야."

엄마 못지않게 마카롱을 중요하게 여기는 올리버가 투덜거렸다.

"새집에도 지하실이 있어요? 저 연습하게요."

이사가 물었다.

"새집에 과학 실험실을 만들어 주면 이사 갈게. 분젠 버너랑, 새 삼각 플라스크랑."

제시는 억지를 부렸다.

"내 방은 완전히 똑같이 해 줄 거죠? 완전히?"

올리버가 물었다.

"가까운 데로 가요? 그래야 프란츠가 계속 친구들과 만날 수 있다고요."

히아신스의 말에 다른 아이들이 눈이 휘둥그레졌다. 이름과 나이, 머리 모양까지 다 아는 이웃을 떠나야 한다는 생각은 한 번도 해 본 적이 없었다.

"아빠는 이 동네에서 평생을 살았어. 직장도 여기 있고."

아빠가 질문을 피하고 아이들의 눈도 피한다는 걸 눈치 챈 사람은 히아신스뿐이었다.

"애들아, 아빠는 2층에 흔들리는 난간도 고치고 쓰레기도 버려야 해. 이 문제에 대해서는 다시 얘기하자, 알았지?"

아빠는 옷걸이에서 해진 파란 점프 슈트를 내려서 컴퓨터 수리 때문에 입었던 작업복 위에 입었다. 그렇게 입으니 꼭 자동차 수리공 같았다. 아빠는 아이들의 어두워진 얼굴을 바라보았다.

"일이 이렇게 돼서 정말 미안해. 너희들도 아빠가 이 집을 얼마나 좋아하는지 알지? 아무튼 잘 해결될 거야. 약속해."

아빠는 문을 열고 나갔다.

아이들은 엄마 아빠가 모든 게 잘될 거라고 말하는 게 싫었다. 엄마 아빠가 그걸 어떻게 아나? 아이들이 다시 질문을 퍼부으려는 순간, 엄마의 휴대전화가 울렸다. 엄마는 발신자 이름을 힐끔 보더니 다시 아이들을 바라보며 말했다.

"엄마가 이 전화 꼭 받아야 하거든? 아무튼…… 걱정하지 마. 나중에 다시 얘기하자. 약속할게."

서둘러 계단을 올라간 엄마의 말소리가 아래층까지 들렸다.

"예, 미첼 부인. 전화 주셔서 감사해요. 말씀하신 그 아파트에 아주 관심 많거든요."

그리고 안방 문이 닫히는 소리가 들렸다.

"이사를 간다니!"

올리버가 침묵을 깼다.

"말도 안 돼! 망할 비더먼!"

"여기를 떠나는 건 상상할 수 없어!"

이사는 손가락으로 바이올린 줄을 튕기며 말했다.

"내 바이올린 연습 때문에 이 사달이 난 게 아니기를."

이사는 6년 전에 비더먼 아저씨가 악기를 질색한다는 사실을 알았다. 이사가 1학년 때였다. 3층에 사는 조지 할머니를 위해 8분의 1 크기 바이올린으로 <반짝 반짝 작은 별>을 연주할 때였다. 이사는 조지 할머니의 집 밖에 서 있었는데, 연주를 반쯤 했을 때 비더먼 아저씨네 4층 문이 왈칵 열렸다. 아저씨는 계단 밑에 대고 시끄러운 소리를 당장 멈추지 않으면 경찰을 부르겠다고 으름장을 놓고는 문을 다시 쾅 닫았다.

경찰이라니! 겨우 여섯 살짜리 바이올리니스트에게! 이사는 울음을 터뜨렸고, 조지 할머니는 이사를 집으로 데리고 들어와 우아한 차이나 접시에 쿠키를 내주고 예쁜 레이스 손수건으로 눈물을 닦으라며 달랬다. 할머니가 손수건을 한사코 가지라고 해서 이사는 지금도 그 손수건을 바이올린 케이스에 넣어 다닌다.

"무슨 말이 돼야 말이지!"

소파와 창문 사이를 왔다 갔다 하면서 제시가 말했다. 헝클어진 머리를 손으로 마구 빗어서 마치 미치광이 과학자처럼 보였다.

"뉴턴의 제3법칙은 모든 작용에는 그에 상응하는 반작용이 있다는 거야. 그렇다면 생각해 봐. 아빠는 이 건물에서 많은 일을 하고 있어. 현관을 깨끗이 청소하고, 낙엽을 쓸고, 눈을 치워. 뭐가 고장이라도 나면 수리도 전부 아빠가 도맡아서 했으니까 그동안 비더먼 아저씨가 돈을 얼마나 아꼈겠어? 그런데 왜 뉴턴의 제3법칙이 적용되지 않는 거지? 비더먼 아저씨가 우릴 내쫓는 건 그에 상응하는 반작용이 아니잖아!"

"뉴턴이 나빠!"

레이니가 외쳤다.

"그 법칙이 여기 적용될 것 같지는 않은데?"

이사가 단정한 포니테일을 무의식적으로 더 단정한 포니테일로 정돈하며 말했다.

"뉴턴의 법칙은 어디에나 적용되는 거야."

제시는 '내 말이 무조건 맞고 그 누구도 나를 설득할 수 없어' 톤으로 말했다.

"아서 삼촌이 큰 수리는 도와줬잖아."

올리버가 낡은 백과사전 전집에서 엔(N)자로 시작하는 백과사전을 찾으면서 말했다.

"아빠는 자질구레한 일을 다 했지."

제시가 지적했다.

"그리고 아서 삼촌의 노트북이 고장 났을 때 고쳐 줬고."

올리버는 원하던 백과사전을 찾아 꺼내서 책장을 넘겼다.

"이 사람이 뉴턴이야."

올리버는 백과사전에서 사진 한 장을 가리키며 레이니에게 가르쳐 주었다.

"머리 예쁘다!"

레이니는 손가락으로 사진을 쓰다듬으며 말했다.

"그거 읽지 마! 그런 책은 60년이나 된 거라 틀린 정보가 많아."

제시가 꾸짖었다. 그때 이사가 나섰다.

"좋아, 얘들아. 다시 주제로 돌아오자. 크리스마스 전까지 비더먼 아저씨를 설득해서 이 집에서 계속 살아야 해."

"나흘하고 반나절밖에 안 남았어!"

제시가 소리쳤다. 그리고 시계를 보더니 다시 정정했다.

"106시간 남았다."

"맞아. 닷새도 안 남았어, 얘들아. 누구 아이디어 있는 사람?"

"아저씨 많이 안아 주기?"

레이니가 제안했다.

올리버는 두 손을 비비며 한쪽 눈썹을 추켜세웠다.

"아저씨 문에 페인트를 뿌리자!"

올리버는 잠시 긴장감을 주더니 말을 이었다.

"역겨운 낙서를 하는 거야."

이사는 올리버의 말은 듣지도 않고 말했다.

"레이니, 네 말이 맞아. 비더먼 아저씨 맘에 드는 일을 해야 해. 우리에 대한 생각이 바뀌도록 말이야."

제시와 올리버는 회의적인 표정이었다. 히아신스는 겁을 먹은 것 같았다. 레이니는 아저씨를 많이 안아 줄 준비가 다 된 표정이었다. 엄청 많이 안아 줄.

긴 침묵을 깨뜨리며 올리버가 어깨를 으쓱하고 말했다.

"아저씨를 위해서 좋은 일을 할 마음은 있어. 하지만 조건이 있어. 우리를 여기에 계속 살게 해 줘야 해."

"나도 아저씨에게 친절하도록 노력할 수 있을 것 같아."

제시의 말에 이사는 고맙다는 표정을 지었다.

"이 방법이 통하지 않으면 올리버랑 나는 아저씨 문에 페인트로 낙서를 할 거야. 네 생각은 어때, 히아신스?"

"나는 아저씨가 무서워."

히아신스가 새끼손가락을 빨며 대답하자 올리버가 안심시켰다.

"그래봤자 5대 1이야. 우리한테 뭘 어쩌겠어?"

이사도 아이들을 격려했다.

"넌 할 수 있어. 용감한 히아신스로 변신하면 돼."

히아신스는 고개를 끄덕였지만 입에서 새끼손가락은 빼지 않았다.

이사는 생각에 잠겼다.

"비더먼 아저씨에게 우리가 계속 여기 살게 해 달라고 설득할 수 있으면 정말 좋지 않을까? 엄마와 아빠에게 가장 멋진 크리스마스 선물이 될 거야."

밴더비커 아이들은 엄마 아빠에게 가장 멋진 크리스마스 선물을 주는 걸 상상했다. 물론 히아신스는 벌써 두 달 전에 선물을 준비했지만 다 같이 하는 선물도 좋은 아이디어 같았다. 어떤 선물을 받을지 꽤 오랫동안 생각했던 올리버는 자기도 선물을 줘야 한다는 걸 방금 기억했다.

"엄마 아빠는 멋진 선물을 받을 자격이 있어. 이건 비밀로 하자."

올리버가 제안했다.

이사는 올리버를 바라보며 물었다.

"너 아직 선물 못 샀지?"

올리버는 재빨리 주제를 바꿨다.

"이걸 비밀로 하려면 누가 입조심을 해야 할지 다들 알겠지?"

올리버는 레이니를 대놓고 바라보았다.

"레이니, 이거 비밀로 해야 해."

제시가 강조했다.

"알아."

레이니는 곧장 대답했다.

"뭘 알아?"

제시가 다시 물었다.

"알았다고. 비더먼 아저씨한테 잘하자고."

"아무튼 엄마 아빠한테는 비밀이야. 알았지, 레이니?"

"알았다니까!"

다섯 명의 아이들은 4층에 사는 아저씨를 이길 수 있는 아이디어를 내기 시작했다. '비더먼 작전'이 공식적으로 시작된 것이다.

아이들은 희망적인 척했지만 속으로는 같은 생각을 했다.

'6년 동안 자기 집에서 한 발자국도 나오지 않은 아저씨와 어떻게 친해지지?'

2

141번가 북쪽에는 편대 행진하듯 어깨를 나란히 한 브라운스톤 건물이 가득하다. 건물들은 높이가 거의 비슷하고 '정원층'이라고 부르는 1층이 있고 그 위로 3층 세 개가 더 있다. 밴더비커 가족이 사는 건물 같은 브라운스톤에는 제시가 '지하 감옥'이라고 부르는 지하실도 있다.

좁은 가로수길에 들어선 브라운스톤들은 비슷한 크기이지만 건물마다 개성이 돋보인다. 호탕한 뚱뚱보 할아버지처럼 둥근 브라운스톤의 정면은 올빼미 눈처럼 둥근 창 위로 소용돌이 모양의 장식이 붙어 있다. 거기에서 몇 채 더 옆으로 가면 완벽한 좌우 대칭을 이루는 브라운스톤이 서 있다. 이 건물의 장엄한 모습은 자유분방해 보이는 옆집 건물과 대조를 이룬다. 옆 브라운스톤의 화려한 탑과 색색의 조약돌로 만든 벽은 햇볕이 내리쬐는 날이면 반짝반짝 빛난다.

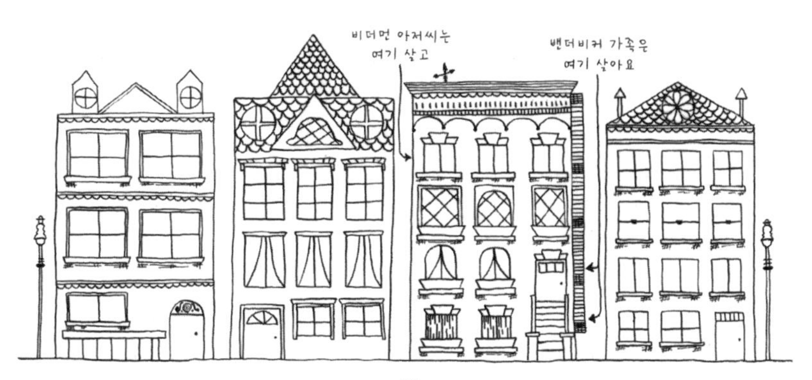

141번가 남쪽에는 더 큰 아파트 건물들이 뒤섞여 있다. 이 구역의 양쪽 끝에는 얼마 전 100주년을 기념한 교회들이 서 있다. 그중 한 곳의 교회 바로 옆에는 작은 공터가 있는데, 조지 할머니는 그 땅을 동네 정원으로 만들어야 한다고 말하고, 올리버는 자나 깨나 농구장으로 바꿔야 한다고 주장한다. 서쪽으로 두 구역을 가면 바위 언덕에 아주 작은 공원이 있다. 언덕 정상에는 성 비스무리한 건물들이 뉴욕 시립 대학의 할렘 캠퍼스를 이루고 있다.

141번가는 보행로가 넓고 도로가 좁은 편이다. 보행로 양쪽에는 가로등이 50피트 간격으로 위풍당당하게 서 있다. 기둥들이 브라운스톤의 1층보다 높이 뻗었다가 굽이치는 파도처럼 휘어진다. 저녁에 따사로운 햇살이 비추면 행인들은 이 거리가 100년 전에도 똑같은 풍경이었을 거라는 느낌을 받는다.

밴더비커 가족이 사는 집은 바람 부는 날 빙글빙글 돌아가는 풍향계가 달린 소박한 브라운스톤으로, 141번가의 정확히 중간에 있다. 이 브라운스톤이 특별히 눈에 띄는 건 건물의 구조 때문이 아니라 건물 밖으로 쉼 없이 뿜어 나오는 활기 때문이다. 밴더비커 가족의 집을 방문했던 많은 사람들은 그 활기가 무엇인지에 대해 열띤 토론을 벌였는데, 결국 그것이 무엇이 '아닌지'에만 동의했다.

조용함	깔끔함
지루함	예상 가능함

그런데 오늘은 밴더비커 가족 같지 않은 분위기가 평상시보다 더 두드러졌다. 아이들은 비더먼 작전 회의 장소를 제시와 이사의 방 앞 계단으로 정했다. 아이들이 그곳에 도착하자 낡은 라디에이터가 격려의 휘파람 소리를 냈다. 이사는 칠판을 꺼내 마커를 손에 들고 적을 준비를 마쳤다. 히아신스는 회의 시간에 꽂을 비더먼 작전 배지를 만들고 있었다. 레이니는 이사의 침대 밑에서 꽃 머리핀 상자를 찾아 자기 포니테일에 꽂는 중이다.

모두 자리를 잡자 이사가 아이들을 바라보았다. 혼혈 가정답게 부모에게서 받은 신체적 특징이 골고루 섞여 있었다. 아이들은 서로의 특징을 비교하는 걸 좋아했다. 이사는 엄마에게서 검고 곧은 머리카락을 물려받았다. 그래서 머리를 매끈한 포니테일로 묶거나 한 가닥으로 우아하게 땋곤 한다. 쌍둥이 자매 제시는 아빠에게서 길들일 수 없는 헝클어진 머리카락을 물려받았다. 제시는 머리를 가지고 어떻게 해 보려는 노력 따위는 하지 않았다. 올리버는 아빠에게서 제멋대로인 머리카락을 받았고 엄마에게서 검은 눈을 물려받았다. 히아신스는 엄마의 재빠른 손가락과 아빠의 큰 발을 물려받았다. 레이니는 엄마 아빠를 정확히 반반 섞어 놓은 모습이다. 머리카락은 엄마 아빠의 머리색을 팔레트에 섞으면 나올 법한 암갈색을 띠었고, 발은 작지도 않고 크지도 않으며, 눈동자 색깔은 아빠보다 짙고 엄마보다 옅다.

이사는 목을 가다듬고 마커로 칠판을 톡톡 두드렸다. 아이들이 조용해지자 이사는 회의 시작을 알렸고, 비더먼 작전의 첫 제안을 했다.

"크리스마스 캐럴을 불러 드리는 거야. 크리스마스 정신을 조금 일깨워 드리는 거지."

그러자 라디에이터 옆에 앉은 제시가 물었다.

"아저씨가 유대인이면 어떻게 해? 캐럴 때문에 오히려 기분 상하면?"

"그럼 크리스마스랑 하누카 노래를 둘 다 부르면 되지."

그랬더니 갑자기 레이니가 노래를 부르기 시작했다. 음정도 틀리면서 고래고래 큰 소리로 노래를 불렀다.

"나에게는 작은 드레이들이 있어요 / 진흙으로 만들었지요……."

레이니는 꽃핀을 얼마나 많이 꽂았던지 머리가 정원처럼 보였다.

올리버는 손으로 귀를 막고 움찔했다.

"진짜 노래 못 부른다."

"드레이들 노래는 안될 것 같아."

이사는 레이니가 계속 노래를 부르는데도 말했다.

"드레이들, 드레이들, 드레이들 / 진흙으로 만들었지요!"

"아저씨는 우리가 노래 불러 주는 걸 원치 않을 것 같은데?"

제시가 레이니를 흘끔 바라봤다.

"아니, 그냥 그렇다고."

"드레이들, 드레이들, 드레이들!"

레이니는 아랑곳하지 않고 노래를 불렀다. 이사는 손으로 레이니의 입을 틀어막았다.

"건물을 돌보는 건 어떨까? 꽃을 심을 수도 있고. 조지 할머니가 도와주실 거야. 꽃을 아주 잘 다루시니까."

"지금은 겨울이잖아. 꽃이 자랄 리가 없지."

제시가 무미건조하게 대답하자 이사가 아이디어를 냈다.

"포인세티아 어때? 크리스마스 분위기를 내는 꽃이잖아."

히아신스는 발 앞에 앉아 있는 프란츠를 보호하듯 팔로 감싸며 이사를 바라봤다.

"포인세티아는 동물들한테 쥐약이야."

"크리스마스 화환은 어때?"

이사가 다시 제안하자 올리버가 대꾸했다.

"너무 비싸."

실망한 제시는 씩씩거렸다.

"칫, 문제가 한두 가지가 아니군."

제시는 손가락으로 문제들을 한 개씩 지적했다.

"첫째, 아저씨는 우릴 싫어해. 둘째, 우리한테는 돈이 없어. 셋째, 우리 중 그 누구도 비더먼 아저씨를 보거나 만난 적이 없어. 아저씨에 대해서 아는 것도 없어. 넷째, 아저씨는 방해 받는 걸 싫어해. 다섯째, 아저씨는 우릴 싫어해."

그때 이사가 끼어들었다.

"바로 그거야. 우리를 내보내는 것보다 여기서 계속 살게 하는 게 더 낫다는 걸 보여 줄 방법이 분명 있을 거야."

그러자 제시가 물었다.

"그래, 그 방법이 뭔데? 위층에 올라가는 유일한 사람은 일주일에 한 번씩 식료품 배달하는 아줌마뿐이잖아. 길고 마른 다리에 뾰족한 매부리코를 보면 아줌마 꼭 두루미 같지 않냐?"

올리버는 고개를 저었다.

"아줌마는 도움이 안 될 거야. 내가 몇 번 인사를 했는데 날 못 본 척하고 그냥 가버렸는걸. 한번은 아줌마가 밑에 두고 간 배달 봉투를 들여다본 적이 있는데, 냉동식품이 한가득하던걸?"

"웩!"

히아신스가 역겹다는 시늉을 했다.

제시는 책상으로 가서 이사와 함께 쓰는 컴퓨터를 켰다.

"인터넷에서 아저씨를 검색해 봐야겠어."

제시는 키보드를 치더니 가만히 있다가 다시 몇 번 더 쳤다.

"이상하네. 인터넷에 연결이 안 돼."

꼭 필요할 때 인터넷이 끊기는 데 익숙했던 올리버가 재빨리 끼어들었다.

"내가 다시 설정해 볼게."

올리버는 1층으로 내려가더니 뭐라고 중얼거렸다. 그러더니 쿵쿵거리며 다시 돌아오는 발소리가 들렸다.

"인터넷이 끊겼어."

올리버는 얼굴을 찌푸리며 말했다.

"엄마가 그러는데 오늘 인터넷을 끊지 않으면 다음 달 요금을 다 내야하고 거기에 약정 갱신까지 해야 한대."

"잘됐군. 아주 완벽해!"

제시가 빈정거렸다.

이사는 방 안에 불만의 기운이 차오르는 것을 느꼈다.

"최고의 아이디어를 내려면 시간이 좀 걸릴 것 같네?"

이사는 마커의 뚜껑을 닫고 텅 빈 칠판을 방구석에 다시 밀어 놓았다. 그러고 나서 똑바로 일어서서 일부러 긍정적이고 기운을 북돋는 목소리를 내려 했다.

"저녁 먹고 다시 모이자. 한 사람당 적어도 두 개씩 아이디어 가져오기! 우린 할 수 있어!"

아이들은 방을 나가며 눈빛을 교환했다. 이사가 저렇게 용기를 북돋는 목소리를 가짜로 낸다는 건 걱정한다는 뜻이었다.

아주 많이.

⁂

밴더비커가 아이들은 그 뒤로 몇 시간 동안 '비더먼 딜레마'에 빠져 괴로워했다. 어떻게 하면 비더먼 아저씨의 마음을 되돌릴 수 있을까? 크리스마스까지 닷새밖에 남지 않았는데…….

계단을 내려가서 패딩 점퍼를 가지고 뒷마당으로 나온 올리버는 비더먼 아저씨가 원망스러웠다. 뒷마당은 10월부터 12월까지 엄청나게 많은 잎을 떨어뜨리는 100년 된 단풍나무가 가려 주는 공간이었다. 올리버는 단풍나무의 수많은 가지 중 하나에 묶인 밧줄에 뛰어올랐다. 밧줄 끝에 있는 매듭에 두 발을 얹고 줄을 타기 시작했다. 속도가 붙어 어느 정도 높이 올라가자 올리버는 눈을 감고 차가운 공기를 들이마셨다. 짠 바닷바람 냄새가 느껴졌다. 올리버는 악당 비더먼을 물리치러 바다를 가로지르는 해적선의 밧줄에 매달려 있다고 상상했다. 올리버의 상상 속에서 비더먼 아저씨는 오른쪽 뺨에 긴 흉터가 있고 파괴와 혼돈을 좋아하며 의족을 한 악당이었다.

찬바람을 뚫고 지미 엘이 올리버를 부르는 소리가 들렸다. 올리버는 눈을 뜨고 길 건너 브라운스톤 건물을 훑어보았다. 친구 지미 엘이 2층 자기 방 창문에서 손을 흔들고 있었다. 올리버는 밧줄이 흔들리지 않을 때까지 기다렸다가 해군 특수 부대 스타일로 밧줄을 두 발에 끼고 무릎을 구부렸다가 몸을 쭉 폈다가 하면서 밧줄 꼭대기에 이르렀다. 멘도사 체육 선생님이 가르쳐 준 기술이다. 멘도사 선생님은 지구에 걸어 다니는 인간 중 가장 멋지다. 전직 해군 특수 부대였던 선생님이 지금은 학생들이 최대한 빨리 밧줄을 탈 수 있도록 지도하는 체육 선생님으로 살고 있다.

밧줄 끝에 닿으면 작년에 아서 삼촌이 올리버를 위해 만들어 준 나무 받침대로 갈 수 있다. 아빠는 큰 오두막을 만들 줄도 모르고 큰 수리에는 영 소질이 없어서 늘 아서 삼촌이 일을 한다.

올리버는 받침대가 좀 따뜻할까 싶었다. 올리버가 올라서자 목재 쓰레기통 위에 앉아 있던 다람쥐가 겁을 먹고 달아났다. 올리버는 쓰레기통 뚜껑을 열고 안을 뒤지기 시작했다. 그 안에는 예비용 건전지, 손

전등, 그래놀라 바 한 움큼, 구급상자(아서 삼촌이 꼭 놔둬야 한다고 했다), 그리고 엄마 몰래 감춰 둔 오렌지 환타 두 병이 있었다. 올리버가 찾던 물건은 맨 밑에 있었다. 지미 엘과 함께 쓰는 워키토키였다. 부모님에게 휴대전화를 뺏긴 뒤부터 두 아이에게 워키토키는 아주 유용한 통신 수단이었다. 버튼을 누르자 워키토키가 지지직거리며 켜졌다.

처음에는 잡음만 들리더니 곧이어 지미 엘의 목소리가 흘러나왔다.

"캡틴 키드, 나와라, 오버."

"매직 제이, 여기는 캡틴 키드."

올리버가 답했다. 지미 엘의 비밀 요원 이름인 매직 제이는 지미 엘이 가장 좋아하는 전설적인 농구 선수 매직 존슨에서 따온 것이다. 캡틴 키드는 악명 높은 해적의 이름이다.

워키토키에서 지미 엘의 한숨이 흘러나왔다.

"아휴…… 캡틴 키드, '말해라'라고 해야지."

"아참, 그렇지! 미안. 매직 제이, 말해라!"

"여긴 아주 조용하다, 오버."

"웨스트 141번가 177에서 위기 상황 발생 가능. 즉각적인 주의 바람. 알았나?"

"캡틴 키드, 알았다. 더 설명 바람, 오버."

"알지? 우리 집주인? 비더먼 아저씨가 우리를 내쫓으려고 한다. 이번 달 말에 이사 가야 한다, 오버."

긴 침묵이 흘렀다. 올리버가 다시 버튼을 누르고 말했다.

"매직 제이, 통신 확인 바람, 오버."

지미 엘의 목소리가 흘러나왔다. 그래놀라 바를 훔치려던 다람쥐가 종종걸음을 치며 달아날 정도로 큰 목소리였다.

"진짜야, 올리버?"

올리버는 얼굴을 찌푸렸다. 지미 엘이 통신 규칙을 깨 버렸다. 두 사람의 워키토키 대화에서 처음 있는 일이었다.

"응. 부모님이 말씀하셨어."

올리버가 워키토키에 대고 대꾸했다.

"우리가 농구공으로 창문 깼을 때 너희 아빠한테 소리 질렀던 그 위층 아저씨?"

"맞아."

"이건 아니지. 그 사람이 너희 집을 빼앗을 순 없어."

"그러고 있거든. 아무튼 아빠가 근처로 이사 갈 거라고 했어."

"나무 집은 어쩌고? 우리의 워키토키 통신은? 워키토키 사느라 두 달 동안이나 돈 모은 거 기억 안 나?"

"계속 살게 해달라고 비더면 아저씨한테 부탁할 생각이야."

올리버의 목소리는 자신이 없었다. 엄마 아빠가 처음 이사 얘기를 꺼냈을 때 느꼈던 머리가 빠개질 것 같은 느낌이 되살아났다.

"더 자세히 말하라. 내가 도울 수 있다, 오버."

지미 엘이 다시 워키토키 대화의 규칙을 지키자 올리버는 안심했다.

"고맙다. 일요일에 농구 한 판, 오버?"

"좋다. 일요일 농구 시합, 약속 시간은 14시 00분이다. 알았나?"

"매직 제이, 알았다, 오버."

"참, 올리버?"

"응?"

"네가 이사 가면 정말 싫을 거야."

올리버는 지미 엘의 창문 쪽을 바라봤다. 하지만 지미 엘은 벌써 사라지고 없었다. 해가 빌딩 너머로 떨어지자 나무 집에도 어둠이 내렸다.

"매직 제이, 무슨 소린지 완벽하게 이해했다, 오버."

3

히아신스는 요상한 모양의 천 조각, 가지각색의 단추, 두툼한 무지개 색깔 실타래, 겁나게 날카로운 바늘들이 들어 있는 종이 상자 등 좋아하는 물건에 둘러싸여 있으면 언제나 최고의 아이디어가 떠올랐다. 히아신스가 입은 노란 페이즐리 원피스는 낡은 베갯잇을 목과 두 팔이 들어가도록 잘라서 직접 만들었다. 허리에 넓은 보라색 리본을 둘러서 스타일을 완성했다.

히아신스는 거실 중앙에 앉아 비더먼 아저씨를 위해 뭘 만들까 생각하면서 그동안 모아둔 리본들을 뒤지고 있었다. 아저씨가 마음을 바꿀 수 있을 정도로 엄청나게 멋진 뭔가를 만들어야 했다. 프란츠가 어슬렁어슬렁 다가오자 히아신스는 초록색 리본을 꺼내서 프란츠에게 둘렀다. 프란츠는 분당 200번은 족히 되는 속도로 꼬리를 마구 흔들었다.

히아신스는 엄마가 부엌에서 나와 세탁실로 들어갔다가 접은 상자 한 묶음을 들고 나오는 걸 곁눈질로 지켜봤다. 세탁기 뒤에 쌓아 놨던 상자들 같았다. 그건 평범한 상자들이 아니었다. 이사 갈 때 짐을 싸는 상자들이었다.

프란츠가 즐겁게 짖어대는 소리에 히아신스의 우울한 기분이 깨졌다.

이어서 우편물 투입구가 열리고 바닥에 봉투와 잡지들이 툭하고 떨어졌다. 히아신스는 우편물을 향해 달려갔고, 프란츠도 뒤를 따라왔다. 히아신스는 손잡이를 돌려 문을 열었다.

"안녕하세요, 존스 아저씨!"

존스 아저씨는 아빠가 태어나기 전부터 이 동네에서 집배원으로 일하고 있다. 프란츠가 두 번 컹컹 짖더니 아저씨의 가방에 코를 대고 냄새를 맡았다.

"안녕, 친구들?"

존스 아저씨는 한 손으로 프란츠의 귀를 쓰다듬고 다른 한 손으로는 히아신스와 하이파이브를 했다. 그리고 프란츠의 코를 톡톡 치더니 가방에서 비스킷 하나를 꺼내 프란츠에게 건넸다. 프란츠는 비스킷을 통째로 삼키더니 뻔뻔하게 다시 가방을 뒤졌다.

존스 아저씨는 여느 때와 마찬가지로 미국 우체국의 독수리 로고가 새겨진 감청색 파카와 파란 바지, 미끄럼 방지가 되어 있는 검정 신발(작년 겨울에 존스 아저씨가 얼음 조각을 밟고 넘어져 허리를 삐자 엄마가 사 드렸다) 차림에 털모자(여기에도 독수리 로고가 새겨져 있다)를 썼다. 그리고 우체국에서 승인하지 않은 액세서리 몇 개를 하고 있었다. 그 액세서리란 히아신스가 디자인해서 기계로 만든 둥근 배지들이었다. 첫 번째 배지에는 '우편 규칙'이라고 쓰여 있고, 두 번째 배지에는 '집배원 아저씨를 사랑하세요'라고 쓰여 있다. 마지막 세 번째 배지에는 '강아지는 집배원의 가장 친한 친구예요'라고 쓰여 있다. 마지막 배지는 작은 동그라미 안에 그 많은 말을 다 써 놔서 가장 읽기 힘들었다.

"오늘은 어떻게 지냈어요, 히아신스 양?"

"저흰 잘 지내요. 감사합니다."

히아신스는 자기가 낼 수 있는 한 가장 예의바른 목소리로 대답했다.

"오, 그렇다니 다행이구나. 그렇다니 정말 다행이야."

존스 아저씨는 손수건을 꺼내서 파카에 붙어 있는 배지 세 개를 닦았다.

히아신스는 문 옆에 있는 탁자에서 뼈 모양의 개 간식이 든 작은 봉투를 집어 존스 아저씨에게 건넸다.

"땅콩버터로 만든 강아지 간식이에요. 세뇨르 파즈에게 아직 들르지 않았죠? 이거 아주 좋아할 것 같은데."

세뇨르 파즈는 길 아래 살고 있는 노견인 검은 치와와다.

"물론 세뇨르 파즈가 아주 좋아하겠구나."

존스 아저씨가 봉투를 조심스럽게 주머니에 넣으며 말했다. 아저씨도 히아신스가 평소 발음하는 대로 '물룬'이라고 했다.

"그렇지 않아도 그쪽으로 가는 중이란다. 그런데 이 간식은 네가 직접 만들었니?"

"네, 맞아요."

히아신스는 아저씨가 물어봐 줘서 마냥 기뻤다. 원래는 그런 얘기는 잘하지 않는데 자랑하는 것처럼 보이기 때문이다.

"당연히 엄마가 도와줬어요."

"물론 네 엄마가 베이킹에는 소질이 있지."

존스 아저씨는 고개를 끄덕이며 맞장구를 쳤다.

"네가 없으면 이웃 개들이 어떻게 지낼지 모르겠다. 지난번에 네가 만든 강아지 쿠키 때문에 스너글들이 천국을 맛봤지."

히아신스는 스너글들을 생각하니 자신의 담요(담요의 이름도 스너글이었다)가 생각났고, 담요를 생각하니 침대와 방이 생각났고, 침대와 방을 생각하니 이사가 생각났다.

"참, 존스 아저씨! 엄마랑 아빠가 오늘 최악의 소식을 전해 줬어요. 우리 이사 간대요!"

히아신스는 셔츠 소매 끝을 잡아당겨서 주먹으로 쥐었다.

존스 아저씨의 몸이 몇 인치 줄어든 것 같았다.

"이사라니? 무슨 이사?"

그 순간에 엄마가 봉지를 들고 현관으로 들어왔다.

"어머, 안녕하세요?"

엄마는 미안한 듯 크게 웃으며 말했다.

"제가 쿠키를 좀 구워 봤어요. 드셔 보실래요? 제가 늘 말하지만, 배고픔과 영혼을 구하는 데 더블 초콜릿 피칸 쿠키만한 게 없죠."

존스 아저씨는 봉지에는 손도 대지 않았다.

"솔직하게 말해 봐요, 밴더비커 부인. 이사 가신다고요?"

히아신스는 엄마도 약간 키가 줄어든 것처럼 보였다.

"아, 존스 씨. 존스 씨에게 가장 먼저 말씀드리려고 했어요. 저희 집주인이 계약을 갱신해 주지 않는다고 해서요. 저희도 방금 알았어요."

"내가 바깥양반을 태어났을 때부터 알았어요."

존스 아저씨는 섭섭한 눈빛으로 말했다.

"저도 알아요. 존스 씨는 저희 가족이나 다름없는걸요."

엄마는 가방에 코를 박은 프란츠를 잡아당기고 그 대신 더블 초콜릿 피칸 쿠키가 든 봉지를 가방에 넣으며 울음을 터뜨렸다.

"지금 가까운 곳에 집을 알아보고 있어요. 혹시 좋은 곳이 있으면 알려 주세요."

존스 아저씨는 잠시 아무 말이 없더니 입을 열었다.

"비더먼 씨가 집주인인가요?"

히아신스와 엄마가 같이 고개를 끄덕였다.

존스 아저씨는 고개를 절레절레 흔들더니 위를 올려다봤다. 비더먼 아저씨가 4층 창문으로 내다보기를 기대한 듯하다.

"그 양반이 힘든 시간을 보냈지요."

존스 아저씨는 히아신스와 엄마를 다시 바라보며 말했다.

"힘든 시간이었어요. 여러분이 이사를 들어오기 몇 달 전에 비더먼 씨가 이 건물을 샀지요. 원래 두세 구역 더 떨어진 곳에서 살았었죠. 학교가 가까웠거든요. 비더먼 씨는 대학교에서 일했어요."

"비더먼 아저씨를 아세요? 원래 뭘 하시던 분이에요?"

히아신스가 물었다.

"예술사를 가르쳤지."

"그림을 그렸어요?"

"예술과 예술의 역사를 공부했단다. 누가 예술 작품을 만들었는지, 예술가가 언제 어디에서 살았는지, 예술가가 사용한 기법이 무엇인지 공부했지. 그리고 공부한 걸 학생들에게 가르쳤어."

존스 아저씨가 마지막으로 프란츠를 쓰다듬으며 말했다.

"이제 가봐야겠어요. 배달할 편지가 많아서요."

존스 아저씨는 히아신스가 건넸던 봉지를 들었다.

"개 간식도 배달해야 하고요. 좋은 하루 보내세요."

아저씨는 털모자 끝을 만지더니 배달 카트의 손잡이를 조금 기울여서 돌돌돌 밀며 밴더비커의 집에서 멀어졌다. 엄마는 히아신스의 머리를 만지며 문을 닫았다. 엄마가 부엌으로 돌아가서 저녁을 준비하는 사이, 히아신스는 존스 아저씨가 보이지 않을 때까지 창밖을 바라봤다.

⁂

밴더비커가의 막내 레이니는 자신의 또 다른 자아인 '판다-레이니'로 변신했다. 흰 털 코트가 레이니의 통통한 몸을 감쌌다. 레이니는 판다 차림으로 엄마가 있는 부엌에서 기어다녔다. 이사를 갈지도 모르는 상황에 대해서 유일하게 걱정을 안 하는 사람이 바로 레이니였다. 비더먼 아저씨가 유일한 장애물이라면 충분히 없앨 수 있다고 생각하기도 했다. 레이니는 사람들을 사랑했다. 그러니까 분명 아저씨도 그녀를 사랑할 거라는 확신이 있었다.

그래서 레이니는 이사가 부탁한 대로 비더먼 작전의 아이디어를 궁리하는 대신 엄마에게서 더블 초콜릿 피칸 쿠키를 얻는 데 온 신경을 집중했다. 레이니는 엄마의 발을 툭 건드렸고 상으로 당근을 받았다. 레이니는 당근을 썩 좋아하지 않았지만—너무 아삭거리고 너무 오렌지색이라서—판다-레이니는 당근을 아주 좋아했다. 판다-레이니는 쿠키도 좋아한다—사실 레이니도 쿠키 사랑은 질 수 없다. 운이 좋으면, 그리고 당근 세 개를 다 먹었으면 쿠키 한 개가 덤으로 따라온다.

판다-레이니는 아일랜드 키친 주위를 눈여겨보았다. 소파 밑에 있는 귀가 축 늘어진 파가니니도 훔쳐보았다.

"파가니니!"

판다-레이니는 크게 속삭였다. 그러자 파가니니는 귀 한쪽을 실룩거리고 코를 엔진처럼 위아래로 움직였다. 회색 털이 난 파가니니는—프란츠에게 의심스러운 눈초리를 먼저 한 방 날리고—소파 밑에서 튀어나와 손을 뻗은 판다-레이니에게 껑충 뛰어갔다. 파가니니는 판다-레이니가 놀자고 할 때가 가장 좋았다. 그건 당근을 주겠다는 신호였기 때문이다. 당근을 움켜잡은 파가니니는 다시 소파 밑으로 들어가서 상으로 받은 당근을 게걸스럽게 먹기 시작했다.

판다-레이니는 남은 당근 두 개를 시들하게 먹고 나서 엄마 발밑으로 기어가 위를 올려다봤다.

"알았어요, 구걸 공주님!"

엄마는 웃으며 말했다.

"너 한 개 먹고, 다른 한 개는 언니 갖다 줘."

엄마는 쿠키 두 개를 건넸다. 판다-레이니는 심각한 눈으로 쿠키 두 개를 비교했다. 한쪽 쿠키가 더 컸지만 다른 쪽 쿠키는 파가니니처럼 생겼다. 판다-레이니는 큰 쿠키와 파가니니 모양의 쿠키 중에서 뭘 히아신스에게 양보할 것인가를 놓고 고민에 빠졌다가 결국 큰 쿠키를 선택했다. 히아신스는 쿠키를 한입에 털어 넣고는 판다-레이니의 리본들은 볼 생각도 안 하고 웅얼웅얼거렸다.

"고마워."

⁂

청바지와 헐렁한 남색 후드를 입은 제시는 지하 감옥으로 난 계단에 앉아 있었다. 옆에는 여러 색깔의 젤리 무더기와 나란히 정돈된 나무 이쑤시개 더미가 있었다. 원자를 나타내는 젤리와 이쑤시개를 이어서 분자 모형을 만들던 참이다. 그런데 젤리가 비더먼 아저씨의 눈을 닮았다는 말도 안 되는 생각으로 정신을 자꾸 딴 데 팔았다. 제시는 젤리를 이쑤시개로 꼭꼭 쑤셨다.

이사는 지하실에 있었다. 계단 바로 밑에 있어서 제시의 모습이 보였다. 바이올린이 이사의 어깨를 요람 삼아 흔들리고 있었고, 이사는 다양한 연습곡을 빠르게 훑고 있었다. 선생님이 매일 연습해야 한다고 강조했던 곡들이다. 연습을 끝낸 이사가 제시를 쳐다봤다.

"그러니까 아직 우리 집을 구할 아이디어가 없는 거야?"

제시는 이사를 째려봤다.

"네가 보기엔 내가 아이디어를 찾은 거 같아? 내가 슬픔의 다섯 단계

중 분노 단계라는 걸 모르겠어?"

"정신 차려, 제시! 우리한텐 너의 만능 해결사 브레인이 필요하다고."

제시는 이쑤시개를 내려놓고 계단을 내려다보았다.

"미안. 모임 때까지는 아이디어가 생각날 거야."

그때 엄마가 이미 헝클어진 제시의 머리를 더 헝클며 지나갔다.

"무슨 아이디어?"

"응? 아, 그러니까……."

점점 작아지는 목소리로 대답하며 제시가 이사에게 도움을 청하는 눈길을 보냈다.

"크리스마스이브 저녁 식사에 관한 거."

이사가 순발력을 발휘했다.

"우리 딸들이 신경 써 준다니 고맙네!"

엄마는 씩씩하게 말했다.

"사람들 말은 신경 쓰지 마. 너희들이 아주 멋지게 해낼 테니까. 인터넷에서 레시피 좀 찾아볼까? 너희들이 해 볼 만한 걸로. 잘게 썬 미니 양배추에 견과를 넣은 요리가 있던데……."

엄마는 제시에게 휴대전화를 건넸다.

"거기 '레시피' 밑으로 북마크 해 놨거든."

이사는 잘게 썰었든 크게 썰었든 미니 양배추라는 말에 몸이 떨렸고, 제시는 복잡한 요리법에 얼굴을 찡그렸다.

쌍둥이 자매는 올해 열두 살이 되면서 매주 화요일마다 가족 식사 준비를 책임졌다. 그런데 올해 크리스마스이브가 화요일이 아닌가. 크리스마스이브의 저녁 식사는 양으로 보나 맛으로 보나 추수감사절과 비교하는 게 밴더비커가의 전통이었다. 쌍둥이 누나의 요리 실력을 그다지 믿지 않는 올리버는 크리스마스이브에는 면죄부를 줘야 하지 않느냐고 했다. 아니면 덜 중요한 다른 날로 식사 당번을 바꾸던가. 히아신스는 올리버의 제안에 동의했다. 아빠마저도 좋은 아이디어라고 생각하는 듯했다. 가족이라는 사람들이 이렇게 자신들을 못 믿어 준다는 사실에 화가 난 쌍둥이 자매는 계획대로 해야 한다고 고집을 부렸고 자신들의 능력을 꼭 보여 주겠다고 맹세했다.

그러나 그건 이사 소식을 듣기 전이었다.

"이사를 하게 되면 최악의 크리스마스이브 만찬이 될 거야."

이사가 툴툴거렸다.

"어떤 음식 만들지, 아이디어 있어? 그 미니 양배추 어쩌고 말고."

제시가 묻자 이사가 잠시 숨을 고르더니 말했다.

"칠면조만 아니면 뭐든지. 추수감사절의 충격에서 아직 헤어 나오지 못했든. 다시 한번 말하지만, 진짜 다 게워 버릴 거야. 꼭!"

"그럼 이건 어때?"

제시는 젤리로 만들기 시작한 옥탄 분자 모형 옆에 앉더니 종이와 펜을 집어 들었다. 그리고 다시 가장 높은 계단에 가서 앉았다.

"사이드 디시로는 구운 채소를 준비하면 될 거야. 지금까지 한 번도 망친 적이 없잖아."

이사가 고개를 끄덕이자 제시는 '구운 채소'를 목록에 적었다.

"이번엔 메인 디시. 비프스튜 어때? 뭐, 어려우면 얼마나 어렵겠어?"

이사가 다시 고개를 끄덕이자 제시는 또 다시 목록을 채웠다.

"그럼 디저트는……."

제시는 혼자 중얼거렸다. 엄마의 휴대전화에서 검색창을 열고 즐겨찾는 요리 사이트에서 레시피들을 훑어봤다. 그리고 '손님에게 강한 인상을 줄 쉬운 디저트 레시피'라는 제목 밑에서 두 개를 골랐다.

"딸기 치즈케이크랑 당근 케이크 어때?"

"훌륭해. 거기에 캐슬먼 베이커리에서 사온 갓 구운 빵도 보태."

이사는 이렇게 말하고 나서 새 연습곡을 자꾸만 틀려가면서 연주했다.

"오케이."

제시는 새 종이에 최종 메뉴를 적었다.

이제 손님 명단을 작성할 차례다. 이사가 먼저 선수를 쳤다.

"조지 할머니와 지트 할아버지는 물론 초대해야지. 이런! 우리가 이사간다는 걸 알면 어떠실까?"

조지 할머니와 지트 할아버지는 아이들이 기억하는 한 아주 오래전부터 바로 위층에 살고 있는 이웃이다. 은퇴한 두 노인은 밴더비커 가족과 많은 시간을 보냈고, 엄마 아빠는 두 분을 위해 식료품을 사다 나르고 두 분을 병원과 약국에 데려가는 일도 맡았다.

"레이니랑 히아신스는 두 분을 떠나려 하지 않을걸? 레이니는 지트 할아버지 다리에 껌딱지처럼 달라붙을 거야."

제시는 이렇게 말하고는 손님 리스트를 계속 적어 나갔다. 명단은 아이들이 좋아하는 친척들로까지 늘어났다. 웨스트체스터에 사는 아서 삼촌과 해리건 숙모, 그리고 이사에게 바이올린을 가르치는 반 허슨 선생님이 그들이다.

"비더먼 아저씨도 초대하면 좋지 않을까?"

이사가 혼잣말을 했다.

"아저씨가 우리 식탁에 앉는다면 아마 크리스마스 기적일걸."

제시가 대답했다.

이사는 어깨를 으쓱하더니 다시 바이올린을 켜기 시작했다. 비토리오 몬티의 〈차르다시〉를 연주하며 방 끝까지 가로질러 가더니 활을 과장되게 당기며 마지막 음을 켰다. 바깥에서 익숙한 발걸음 소리가 들렸다. 현관문이 쾅하고 열리더니 아빠가 떠밀리듯 들어왔다.

아빠는 코트를 벗어서 문 옆에 건 다음 부엌을 지나 지하실로 내려왔다.

"브라보!"

아빠가 이사에게 찬사를 보냈다.

"완벽한 〈차르다시〉 연주야! 감정의 완벽한 해석에 훌륭한 강약까지!"

"아, 아빠! 제일 못한 거야!"

이사는 눈을 굴렸다.

"하지만 할 때마다 새롭잖아, 우리 바이올린 연주자님! 단 한 번도 똑같이 연주한 적 없잖아, 그렇지? 그게 라이브 연주의 묘미지."

아빠가 5센트짜리 동전을 손가락으로 튕기자 동전이 계단에서 몇 번 튕겨지더니 이사의 바이올린 가방에 떨어졌다. 아빠는 레이니를 들어 올리더니 목말을 태웠다.

“땅콩-레이니 본 사람? 온 사방을 찾았는데 없어!”

“나 땅콩-레이니 아니야. 나 판다-레이니야!”

흰 털 뭉치가 위에서 외쳤다.

“앗, 판다-레이니! 내가 제일 좋아하는 판다! 어디 보자, 기억이 안 나는데…… 판다-레이니가 간지럼을 잘 타던가?”

아빠는 등을 구부리며 깔깔대는 레이니를 바닥에 다시 내려놓았다. 레이니는 아빠 다리에 팔과 다리를 감고 필사적으로 매달렸다. 아빠는 레이니를 반쯤 질질 끌고 아내가 치즈 빵 반죽을 섞고 있는 부엌으로 갔다. 가스레인지 위에서는 수프가 끓고 있었고, 부엌은 허브와 야채의 향긋한 냄새로 가득했다.

“안녕하세요, 아름다운 숙녀분?”

아빠는 엄마의 귀 옆에 뽀뽀를 하며 인사를 했다.

엄마는 아빠를 돌아봤다. 아빠는 여전히 관리자 ‘유니폼’을 입고 있었다. 건물 관리를 할 때 꼭 입어야 한다며 직접 고른 옷이었다.

“우리 이사 가면 당신 작업복 안 입어도 되네?”

엄마가 말하자 아빠는 양손의 검지로 밑을 가리키며 대꾸했다.

“정확히 말하자면, 이건 점프 슈트야. 가장 쿨한 능력자들만 입는 거지.”

"나도 점프 슈트!"

아직도 아빠 다리에 매달려 있던 레이니가 외쳤다.

"봤지?"

아빠가 여보란 듯 엄마에게 말했다.

"우리 딸 취향이 죽인다니까."

"나는 당신이 왜 쓰레기 버리러 나갈 때 정상적인 옷을 안 입는지 모르겠어."

엄마는 기름 바른 빵틀에 반죽을 부으며 구시렁거렸다.

"여보, 건물에서 일할 때 컴퓨터 작업복을 입을 수는 없잖아? 컴퓨터 작업복은 이 점프 슈트처럼 '더러워도 고치자' 라는 인내심이 없거든."

엄마는 한숨을 쉬었다.

아빠는 거실을 한번 훑어보더니 음울한 분위기를 감지했다. 이사는 바이올린으로 구슬픈 가락을 켰고, 브라운스톤 전체에 밴더비커 가족 특유의 부산함과 웃음이 사라졌다. 아빠는 목소리를 낮추어 물었다.

"애들이 이사 가는 걸 잘 못 받아들이는 것 같지?"

엄마는 아빠의 눈을 뚫어져라 바라봤다.

"어떻게 되든 상관없어."

엄마는 아빠의 턱을 만지며 말했다.

"여기서 지낸 지난 6년이 고마울 뿐이야."

그리고 잠시 말을 멈추더니 덧붙였다.

"당신이 점프 슈트를 입었어도 말이야."

아빠는 웃으며 엄마의 손을 잡았지만 눈에 묻어 나오는 슬픔은 감출 수 없었다.

"여기서 최고의 6년을 보냈지."

4

올리버는 지미 엘과 얘기를 나눈 뒤 다시 집 안으로 들어와 엄마가 구워 놓은 더블 초콜릿 피칸 쿠키를 세 개 집어먹었다. 그러고 나서 자기 방으로 들어가 비더먼 작전을 위한 아이디어 구상에 나섰다.

누나 둘, 여동생 둘 사이에서 유일한 남자로 살아가는 건 쉽지 않은 일이었다. 하지만 특권도 하나 있었다. 올리버만 유일하게 혼자 방을 쓰기 때문이다. 사실 벽장을 내리면 침대가 되는 아주 작은 방이었지만. 방은 간단한 침대와 작은 책상 하나가 겨우 들어갈 정도의 크기였다. 5년 전 아서 삼촌이 허리에는 공구 벨트를 차고 한쪽 손에는 전기 드릴을 들고 예고도 없이 나타난 적이 있다. 아서 삼촌은 올리버가 여자들 사이에서 유일한 남자로 살아남고 싶다면 두 가지가 필요하다고 주장했다. 상상력, 그리고 도망칠 수 있는 공간! 삼촌은 벽에 남아 있는 공간을 모두 활용해서 책장을 만들기 시작했고, 그 사이 아빠는 감탄하며 공사 비스름한 광경을 지켜보기만 했다. 그날부터 아서 삼촌은 거의 한 달에 한 번씩 올리버에게 책을 보냈다. 주로 슈퍼히어로, 그리스 신화, 해적, 우주 탐사, 대통령에 관한 책들이었다. 지금은 올리버 방에 들어서면 마치 작은 도서관에 들어가는 느낌이 든다.

한 시간 뒤에도 올리버는 아이디어 궁리를 하지 않았다. 로버트 루이스 스티븐슨의 『보물섬』에 빠져서 엄마가 저녁 먹으라고 부르는 소리도 못 들었다. 올리버는 지금 사악한 해적 이스라엘 핸즈와 대결하기 위해 닻을 끊고 배에 올라타려고 하는 짐 호킨스였다.

"올리버!"

아이들이 올리버의 신성하고 조용한 방에 들이닥쳤다.

올리버는 침략자들에 맞서 뛰어내렸지만 첫째, 자신은 짐 호킨스가 아니고, 둘째, 해적선에 있는 것이 아니라는 걸 이내 깨달았다. 올리버는 읽던 책을 얼굴 앞에 들어 올리며 부탁했다.

"날 제발 그냥 내버려둬."

레이니는 토끼처럼 껑충 뛰어 올리버를 두 팔로 안고 턱에 축축한 뽀뽀를 네 번 하며 사랑을 고백했다.

"사랑해, 올리. 저녁 먹을 시간이야."

"웩!"

올리버는 소매로 축축해진 턱을 닦았다.

"롱 존 실버였다면 이런 야비한 행동을 한 널 무인도에 가둬 버렸을 거야."

레이니는 올리버의 손을 잡아 일으켜 세우려 했지만 올리버는 꼼짝도 하지 않았다. 하지만 '용케도' 오빠의 왼쪽 무릎에 걸려 넘어지면서 책상에 쌓여 있던 만화책 더미를 무너뜨렸다.

레이니는 올리버의 손을 잡은 채로 만화책 눈사태에서 몸을 일으키며 말했다.

“빨리! 저녁 먹을 시간이야! 엄마가 치즈 빵 만들었다고.”

올리버의 배가 꼬르륵 소리를 냈다. 한 시간 전에 먹었던 더블 초콜릿 피칸 쿠키가 벌써 다 소화된 모양이다. 올리버는 해적의 유혹을 어렵게 물리치고 밥을 먹는 것도 괜찮은 생각이라고 결정했다. 밴더비커 아이들이 모두 함께 수다를 떨면서 부엌으로 내려갔다.

“나의 사랑스러운 아이들이 계단을 내려오는 소리로군. 정말 기분 좋은걸?”

아빠가 부엌에서 아이들을 불렀다.

엄마는 아이들을 향해 머랭 크림이 묻은 노란색 주걱을 치켜들며 경고했다.

“애들아! 식탁 차려야지. 당장!!”

그 순간, 주걱에 묻어 있던 머랭 크림이 기적을 기다리며 부엌에 숨어 있던 프란츠 바로 옆에 떨어졌다.

아이들은 부엌으로 달려들어 식탁을 차리기 시작했다. 서랍들이 쾅쾅 닫히고 식기들이 바닥으로 떨어졌다. 마침내 식탁이 완성되었고, 음식들이 중앙에 놓였으며, 모두가 자기 자리에 앉았다. 그때 올리버가 얼음을 가지러 가려고 일어났다. 그 다음에는 레이니가 일어나 수프용 수저가 없다며 은식기 서랍을 뒤졌다. 모두가 다시 자리에 앉자 서로 손을 잡았고 아빠가 음식에 대한 감사 인사를 짧게 했다. 그리고 저녁 식사가 시작되었다.

"그러니까, 다들 어떤지 모르겠지만 나는 비더먼 아저씨를 만나야 한다고 생각해. 우리가 이사 가기 전에 말이야."

모두가 가장 걱정하고 있는 문제를 올리버가 바로 꺼냈다. 그리고 특유의 '순진한' 얼굴로 엄마 아빠를 바라봤다.

아빠는 엄마를 곁눈질하며 말했다.

"순진한 척하는 걸 봐서 뭔가 꿍꿍이가 있어."

엄마는 한숨을 쉬더니 올리버에게 물었다.

"가여운 아저씨한테 무슨 짓을 꾸미려는 거야?"

"엥? 꾸미긴 뭘 꾸며? 왜 전부 날 그런 눈으로 쳐다보는 거야?"

올리버는 식탁 반대편에 있는 치즈 빵들을 뒤적이며 가장 큰 빵을 집었다.

"아니 내 말은, 비더먼이 사나이라면 우리를 쫓아내기 전에 한 번은 우리를 직접 봐야 한다는 거지. 우리에겐 해명이 필요해!"

"비더먼 아저씨라고 해야지. 그리고 우릴 쫓아내는 게 아니야. 우리 계약을 연장해 주지 않는 거지."

엄마가 대꾸했다. 그러자 이사가 끼어들었다.

"비더먼 아저씨가 어떻게 생겼을지 늘 궁금했어. 키가 작을까 클까? 머리는 무슨 색일까?"

"어떤 일에 관심이 많을까?"

제시도 맞장구를 쳤다.

"귀여운 작은 토끼를 좋아할까?"

레이니는 입에 물었던 치즈 빵을 다시 꺼내며 물었다.

"크리스마스 캐럴은 어떨까? 혹시 비더먼 아저씨는 유대인일까?"

올리버는 이 질문을 하고 나서 두 사람에게서 식탁 밑으로 다리 공격을 받았다. 발차기의 동시성과 힘으로 보아 쌍둥이 누나인 게 확실했다.

"난 아는 게 전혀 없는데."

엄마가 대답했다.

"너희들도 알잖아. 아저씨가 얼마나 비밀스러우신지."

"아저씨는 내가 집에 찾아갈 때마다 만능열쇠로 문을 직접 열고 들어오라고 하고는 내가 갈 때까지 침실에서 안 나오셔."

아빠도 동의했다.

"아빠한테 만능열쇠가 있어?"

레이니는 신기해하며 물었다.

"그럼 그걸로 뭐든지 할 수 있어? 마법의 열쇠야?"

"어떤 문이든 열 수 있는 열쇠란 뜻이야."

올리버가 어이없다는 듯 설명했다.

"이런 상황 자체가 이상해."

제시가 수프 스푼을 흔들며 말했다.

"여기서 6년이나 살았는데 아저씨를 한 번도 본 적이 없다니. 우리를 알지도 못하면서 내쫓겠다고?"

"존스 아저씨가 그러시는데, 아저씨는 우리가 여기 이사 오기 전에 시립 대학교에서 일하셨대."

히아신스가 말했다.

엄마는 목을 가다듬고 아무도 듣고 싶지 않은 말을 했다.

"내일부터 이삿짐 쌀 거야."

모두가 저녁 식사를 마쳤지만 음식은 먼지처럼 맛이 없었고 가족들은 모두 공허하고 불만이었다. 식탁을 치우고 식기세척기를 튼 다음 아이들은 위층으로 올라갔다. 브라운스톤은 고요 속에서 구슬프게 삐걱삐걱 소리를 냈다.

✖·✖·✖·✖

"엄큰지로 나갈까?"

이사가 물었다.

"응급 시에는 응급조치가 필요한 법."

제시가 대답했다.

이사는 옷장 문을 열고 두 팔 가득 후디를 꺼내 전달했다. 모두들 두꺼운 후디의 지퍼를 채우는 동안 제시가 엄큰지에 나갈 때 쓰는 가방을 꺼냈다. 양모 담요와 원래 탄산음료를 담았었지만 지금은 수돗물을 채워 넣은 2리터짜리 큰 병이 담긴 더플백이었다. 올리버는 슈퍼맨의 파워를 동원해 쌍둥이 누나들의 침대 창문을 잡아당겼다. 그러자 아이들은 창문 너머 비상계단으로 올라섰다. 이사는 레이니를 등에 업고 삐걱대는 철제 계단을 오르기 시작했다. 엄큰지란 '엄청 큰 지붕'이라는 뜻이다.

지붕으로 가는 길은 두 개이지만 다른 길은 비더먼 아저씨의 집을 마주한 사다리를 타야 했다. 말 안 해도 알 만한 이유로 아이들은 이 사다리는 한 번도 타 본 적이 없다.

"조심해."

이사가 아이들에게 일렀다. 이사는 아이들이 지붕에 올라갈 때마다 '내 말 안 들으면 혼나!' 톤으로 항상 똑같은 주의를 주었다. 이사와 레이니가 조지 할머니와 지트 할아버지의 거실을 지났다(때마침 텔레비전을 보던 조지 할머니가 눈을 들어 창가를 보자 레이니가 창문을 톡톡 두드리고 손을 흔들며 "안녕하세요, 조지 할머니!"하고 조잘댔다). 그 다음에는 비더먼 아저씨네 창가를 살금살금 지나쳤다. 창문은 검은 색 커튼으로 가려져 있었다. 그리고 아이들은 마침내 지붕 위에 도착했다.

옥상 바닥은 뉴욕 대부분의 건물과는 달리 꺼칠꺼칠하게 발라 놓은 콘크리트 바닥이 아니다. 밴더비커 가족이 이사를 오기 바로 전에 100년 된 지붕이 교체되었고, 그때 앵두 같은 빨간 도자기 타일을 깔았다. 타일 덕분에 옥상은 분위기도 좋고 방음도 잘되었다. 그래도 아이들은 밤늦게 서로의 방에 오갈 때 엄마 아빠를 깨우지 않으려고 할 때처럼 살금살금 걸었다. 비더먼 아저씨는 아무 소리도 듣지 못할 것이다. 그렇지 않았다면 분명 지금쯤 뭐라고 했을 테니까. 좋은 소리는 분명 아니었을 것이다.

"폭포수 흘려보낼까?"

이사까지 옥상에 올라오자 제시가 가방에서 물병을 꺼내 쳐들었다. 하늘은 페르시안 블루로 빛났고, 건물들의 검은 실루엣은 영화 <매리

포핀스〉에 나오는 굴뚝 청소 장면처럼 환상적인 분위기를 만들었다.

"시작해, 대장."

이사가 제시에게서 가방을 넘겨받으며 말했다. 이사는 바닥에 담요를 깔았다.

제시는 브라운스톤의 동쪽 벽면에 폭포수 장치를 설치해 두었다. 과학 시간에 선생님이 보여준 만화가 루브 골드버그의 기계 장치들에서 얻은 아이디어였다. 제시는 악보를 넘기는 장치가 가장 마음에 들었다. 젊은 베토벤처럼 생긴 사람이 보면대 앞에 앉아서 발로 페달을 밟으면 연쇄 반응이 일어났다. 페달을 밟자 자전거에 공기를 넣는 펌프처럼 권투 글러브에 공기가 들어가서 부풀었다. 그러면 글러브가 지렛대에 펀치를 날렸고, 펀치를 맞은 막대가 움직이면서 악보를 한 장씩 넘기는 구조였다. 만화를 본 제시는 이사를 위해 뭔가 만들 수 있겠다고 생각했다. 하지만 자동 악보 넘김 장치가 제대로 작동하지 않자 그 대신에 폭포수 장치를 만들었다. 폭포수 장치는 이사의 열두 살 생일 선물이 되었고, 제시는 장치를 만드느라 6월 한 달을 다 보냈다.

제시는 물병을 동쪽 벽으로 가져갔다. 그곳 난간에는 산업용 금속 깔때기가 있었다. 제시는 물병을 철사 고정 장치에 조심스럽게 넣고 깔때기 바닥을 겨냥해서 병뚜껑을 열었다. 그러자 물이 깔때기 안으로 쏟아졌고 검은 호스를 타고 내려가 벽에 고정시킨 금속 상자에 담겼다. 물은 미끄럼틀을 타고 벽을 지그재그로 내려오면서 세 개의 물레바퀴에 떨어지고, 물레바퀴가 돌아가면서 세 개의 풍경을 쳐서 울리게 한다.

물이 호스를 통해 내려가요.
여기 비더먼 씨가 살아요. 쉿!
조지 할머니와 지트 할아버지는 여기 살아요.
물이 고여 있다가 아래로 떨어져요.
밴더비커 가족이 사는 2층 아파트예요.
물이 금속 통에 떨어졌다가
정원에 떨어져요.
빗물 막대기

그 다음에는 물이 나무로 만든 빗물 막대의 지렛대를 들어 올리고, 그로 인해 빗물 막대는 어지러운 시소처럼 앞뒤로 왔다 갔다 한다. 그 다음에 물은 급경사면을 타고 내려가 한 층 아래에서 동그란 모양의 금속 조각에 쏟아진다. 금속 조각은 어느 날 제시가 학교에서 돌아오다가 연석 위에서 발견한 것이다. 금속 조각은 마법 같았다. 진동하면서 물이 떨어지는 각도에 따라 다른 소리를 냈기 때문이다. 마지막으로 물은 엄마의 허브 화단에 곧장 떨어져서 한참 자라는 허브가 물을 맘껏 먹을 수 있다. 이것이 아마 제시가 애초에 폭포수 장치를 만든 유일한 이유일 것이다.

2리터의 물은 약 15분 동안 음악이 이어지도록 하는 양이었다. 이사는 폭포수에서 흘러나오는 소리가 비 오는 날(물론 악기를 보호할 우산도 갖춘 채) 잔디밭에서 연주하면 들릴 만한 바람의 사중주라고 생각했다. 제시가 생일날 보여준 장치를 보고 이사는 입을 다물지 못했었다. 제시는 자랑스러운 듯 어깨를 으쓱했다.

"이건 그냥 물리의 법칙이야. 대단한 건 아니고."

음악 소리는 옥상에서 들을 수 있을 만큼 컸고 비더먼 아저씨네 방음창을 통과하지는 못할 만큼 작았다.

밴더비커 아이들은 폭포수의 노래를 들으며 브라운스톤의 남쪽에 모여서 난간에 팔을 괴고(난간에 손가락밖에 닿지 않아 이사가 안아 올려 준 덕분에 바깥을 바라보는 레이니만 빼고) 나란히 섰다. 남쪽 전망이 최고였다. 그곳에서는 늘어선 크고 작은 건물들의 스카이라인이 눈에 들어온다.

저 멀리 시립 대학교는 마치 작은 탑들이 있는 고성처럼 언덕에 우뚝 솟아 있다.

"우리 게임 하자! '듣지 않고 듣기' 놀이!"

이 게임은 레이니가 직접 만들었고 가장 좋아하는 놀이다. 게임 중간쯤까지는 아무도 게임의 룰을 이해하지 못하다가, 반이 지나야 완벽하게 이해할 수 있는 게임이다.

"눈 감아."

레이니가 명령했다.

눈을 감자 히아신스는 조금 떨어진 아파트에서 들려오는 메링게 음악(중남미 대표 음악) 소리를 들었다. 올리버는 미닫이문이 스르륵 열리는 소리와 옆집 이웃이 담배를 피우려고 라이터를 켜는 소리를 들었다. 제시는 건물 맞은편 거리에서 한 무리의 사람이 지나가면서 껄껄대며 웃는 소리를 들었다. 이사는 빗물 막대의 자갈들이 폭포수 때문에 이리저리 구르는 소리를 들었다. 눈을 최대한 가늘게 뜬 레이니는 아무 소리도 듣지 않으려고 애썼다. 하지만 조지 할머니가 우렁찬 목소리로 가스펠 부르는 소리가 들렸다. 무언가를 들으려고 노력하지 않을 때 비로소 들을 수 있는 것들은 참 놀라웠다.

히아신스의 목소리가 '듣지 않기' 놀이를 중단시켰다.

"우리가 정말 할렘에 계속 살 수 있을까?"

"당연하지. 아빠가 그렇게 말했잖아."

제시가 눈을 뜨며 핀잔을 줬다.

히아신스는 고개를 저었다.

"다들 알잖아. 우리가 여기에 계속 살 거라고 제대로 말한 적은 한 번도 없다는 걸. 그 말을 할 때 아빠 약간 이상했어. 할머니가 오실 때마다 만들어 주시는 토할 것 같은 안초비 캐서롤을 먹으면서 완전 맛있다고 할 때랑 똑같은 표정이었다고."

"아빠는 평생 여기 살았잖아. 이 동네 동장쯤 되는 거라고. 여길 절대 떠나지 않을 거야."

올리버가 나섰다.

"게다가 아빠의 컴퓨터 수리 회사도 여기 있고."

제시가 지적했다.

"내가 열여섯 살 되면 아빠가 날 조수로 고용한다고 했어."

제시는 10억 분의 1초 정도 멈췄다가 다시 말했다.

"겨우 1257일 남았다고."

"아빠는 거짓말쟁이 아니야."

레이니가 끼어들었다.

"거짓말은 나빠."

"동감이야, 레이니."

이사는 바깥으로 이웃을 내다봤다.

"여기가 내가 가장 좋아하는 경치인데."

"비더먼 아저씨가 정말 성에서 일했을까?"

히아신스가 시립 대학교를 바라보며 물었다.

"착한 사람만 성에서 일할 수 있는 줄 알았는데."

"저 성엔 공주님들이 살아."

레이니는 이렇게 말하며 경치를 더 잘 보려고 이사의 어깨에 팔을 기댔다.

"공주님 안 살거든."

올리버가 핀잔을 줬다.

"저건 대학교야, 바보야."

"동생한테 바보라고 하지 마."

히아신스와 이사가 동시에 말했다.

"이제 그만! 우리 할 일이 있잖아."

이사가 아이들을 담요 쪽으로 이끌었다. 그곳에서 비더먼 작전의 두 번째 회의가 열렸다. 히아신스는 직접 만든 배지들을 내밀었고, 나머지 아이들은 배지를 집어 후디에 달았다.

"명심해. 엄마 아빠한테는 한마디도 하면 안 돼."

제시가 다시 한번 다짐을 시켰다. 아이들은 가까이 모여들어 주먹을 맞대고 파이팅을 했다.

"실패하면 어쩌지?"

히아신스가 걱정했다.

"실패 안 해."

올리버가 진짜라고 해도 믿을 해적의 검을 청바지 벨트에서 꺼내들고 하늘 위로 치켜들었다.

"우리 모두 검을 가져야 한다는 게 내 아이디어……."

"내가 생각해 봤는데……."

이사가 올리버의 말을 잘랐다.

"비더먼 아저씨를 이길 수 있는 열쇠는 우리의 강점을 활용하는 거야."

"좋은 아이디어야! 나에겐 비더먼 아저씨에게 보여 줄 수 있는 장점이 아주 많으니까."

올리버가 뻐기기 시작했다.

"누가 먼저 말할래?"

이사가 물었다.

"히아신스가 첫 번째 비더먼 작전을 맡아야 해. 세상에서 손재주가 가장 뛰어나니까."

제시가 제안하자 히아신스는 그 자리에서 얼어붙었다. 그리고 짧게 고개를 좌우로 젓더니 곧바로 울음을 터뜨렸다.

"왜 울어, 언니?! 언니가 첫 번째 타자로 딱이야. 너무 좋아서 울어?"

그러자 제시가 레이니를 째려봤다. 레이니는 가방에서 찾은 사인펜으로 언니들과 오빠 손에 하트를 그려 넣기 바빴다.

"그렇다고 불쾌한 일도 아니잖아."

이번에는 제시가 올리버를 눈으로 흘겼다. 올리버는 칼끝으로 이사의 운동화 끈을 풀려고 애쓰는 중이었다.

"용감한 히아신스는 아주 잘할 거야. 그렇고말고."

이사가 거들었다. 히아신스는 여전히 고개를 저었다.

"히아신스가 못하면……."

이사가 아이들을 돌아보며 말했다.

"제시, 네가 첫 타자로 가는 게 좋겠어."

"그러는 너는?"

제시가 맞받아쳤다.

"난 음악 때문에 아저씨랑 문제가 있었잖아."

이사가 설명하자 아이들도 고개를 끄덕였다. 다들 비더먼 아저씨가 바이올린에 그렇게 화를 낸 건 참 불만이었다. 특히 지난 6년 동안 이사가 얼마나 실력이 늘었는지 안다면 말이다. 벌써 첫 해에 '무시무시한 깽깽이' 단계를 지났고, 얼마 전에는 대회에 나가서 몇 번 상도 탔다.

제시가 한숨을 쉬었다.

"알았어. 나를 지옥으로 보내라. 하지만 같이 가 주는 사람이 있어야 해."

"내가 도와줄게!"

레이니가 한쪽 팔을 치켜올려 흔들며 외쳤다.

"쉿!"

이사, 제시, 히아신스가 일제히 말렸다.

"나도 도울게."

올리버도 나섰다. 제시는 두 지원자를 보며 말했다.

"좋아, 레이니. 넌 껴도 돼."

"뭐? 그럼 나는?

올리버가 물었다.

"넌 좀……."

"뭐?"

"예측불가잖아."

"변덕스럽고."

제시가 말하자 이사도 거들었다. 히아신스는 아무 말도 안 하고 올리버가 그냥 좋은 듯 바라보았다.

"그 정도는 아니지!"

올리버가 항의했다.

"남자애치고는. 하지만 넌 좀 수완이 부족해."

제시가 말했다.

"수완? 내가 얼마나 수완이 좋은데? 다들 몰라서 그렇지."

올리버가 툴툴거렸다.

✖·✖·✖·✖

폭포수는 벌써 오래전에 노래를 멈췄다. 아이들이 여러 아이디어를 궁리하는 동안 하늘은 하염없이 검게 물들었다. 아무튼 결국 올리버가 첫 번째 비더먼 작전으로 가장 좋은 아이디어를 냈다. 하지만 자기가 작전을 수행하기에 최적의 인물이 아님을 인정했다. 야구와 스프링클러 사건이 아니더라도 비더먼 아저씨가 자기를 특히 미워한다고 생각하기 때문이었다. 올리버는 자기가 브라운스톤 앞에서 드리블 연습을 하기 때문일 거라고 믿었다. 비더먼 아저씨만 빼면 이웃에서는 아무도 뭐라고 하는 사람이 없는데…….

"좋은 아이디어야, 올리버."

이사가 가방을 정리하며 칭찬을 했다.

"작전이 성공할 것 같아."

"당연하지!"

올리버가 어깨 너머로 말했다. 그리고 비상계단을 내려가며 거들먹거렸다. 허리에 매단 해적 검이 이리저리 흔들렸다.

"나도 수완 좋은 남자라고!"

12월 21일 토요일

5

다음 날 히아신스는 경쾌한 휘파람 소리로 아침 인사를 대신하는 라디에이터 소리에 잠이 깼다. 보통 때라면 그 소리에 기분 좋게 일어났겠지만 오늘은 날카로운 바늘이 배를 찌르는 듯한 고통이 느껴졌다. 오늘은 토요일. 비더먼 작전이 공식적으로 개시되는 날이다. 창밖으로 오래된 참꽃단풍 나뭇가지에 안간힘을 다해 매달려 있는 마지막 잎새가 보였다. 최후의 순간까지 땅에 떨어지지 않으려고 버티고 있었다.

히아신스는 내려다보지 않아도 레이니가 깊이 잠들어 있다는 걸 알 수 있었다. 잠잘 때면 재미있는 휘파람 소리를 내기 때문이다. 히아신스는 2층 침대에서 내려와서 곰 모양 슬리퍼에 발을 구겨 넣고 올리버에게서 몰래 가져온, 가장 좋아하는 따뜻한 추리닝을 입었다. 그러고는 졸고 있는 프란츠를 넘어가 문까지 살금살금 걸어가서 끼익 소리가 나지 않도록 손잡이를 조심스럽게 돌렸다.

히아신스는 밴더비커가에서 서열로 따지면 꼴찌에서 두 번째였지만 자기가 중간이라고 느낄 때가 많았다. 올리버는 쌍둥이 누나들 바로 다음에 태어나서 중간 서열을 얻었지만, 유일한 남자라서 예외였다. 쌍둥이 언니들은 나이가 같으니까, 히아신스는 둘을 하나로 쳤다. 남자인 올리버를 빼면 히아신스가 진짜 중간에 오고, 그래야 그나마 고집 세고 왁자지껄한 형제자매 사이에서 우뚝 설 수 있다고 느꼈다.

히아신스는 엄마 아빠와 제대로 시간을 가지려고 항상 일찍 일어나는 버릇이 있다. 살금살금 계단을 내려간 히아신스는 아빠가 두꺼운 책을 읽으며 김이 모락모락 나는 커피 잔을 들고 소파에 앉아 있는 모습을 봤다. 파가니니가 거실 카펫 위에서 이상한 패턴으로 껑충껑충 뛰고 있었다. 브로드웨이 연극 오디션이라도 보듯이 공중으로 껑충 뛰어올랐다가 회전을 했다. 조지 워싱턴은 등을 대고 큰 대자로 뻗어 있었다. 파가니니가 옆을 지나갈 때마다 느릿느릿 꼬리로 쳤다.

히아신스는 반려동물들을 조심스럽게 피해서 아빠 옆에 바싹 다가앉았다. 아빠는 히아신스의 어깨에 팔을 둘러 꽉 껴안았다. 아빠에게서 커피 향과 박하사탕 냄새가 났다.

"아빠, 비더먼 아저씨는 왜 우리를 그렇게 미워해?"

아빠는 히아신스의 이마에 뽀뽀를 하며 대답했다.

"미워하긴. 아빠는 아저씨가 너희를 미워하시는 게 아니라고 확신해. 아빠가 생각하기에는 아저씨가 불행하신 것 같아. 그러니까 너희들과는 전혀 상관없는 문제야."

히아신스는 그날 아침을 위해 세웠던 비더먼 작전 계획을 떠올렸다. 그리고 아저씨를 위해 뭔가 한다는 게 기뻤다. 다른 아이들이 부탁한 첫 번째 작전을 두려워했던 게 부끄럽기까지 했다.

"아빠?"

"응?"

"어떻게 하면 용감해져?"

히아신스는 눈을 감고 아빠에게 더 가까이 다가갔다. 아빠가 넌 절대로 용감해질 수 없다고 말할까 봐 두려웠다.

"무슨 소리야, 히아신스? 넌 내가 아는 사람 중에서 가장 용기 있는 사람인걸?"

"정말?"

히아신스가 눈을 번쩍 뜨며 물었다.

"정말이고말고. 너처럼 마음이 넓으려면 엄청 용감해야 해. 용감한 사람 중에 너처럼 다정한 사람은 많지 않아."

히아신스는 책 더미를 갉아먹는 파가니니와 귀를 청소하는 조지 워싱턴을 바라보며 아빠의 말을 곰곰이 생각했다.

아빠는 동물들을 바라보며 웃었다.

"동물을 사랑해 보지 않은 자는 영혼의 일부가 깨어나지 못하지."

히아신스는 아빠를 올려다봤다.

"그게 무슨 말이야?"

"동물이 우리 마음을 아주 특별한 방식으로 행복하게 만든다는 뜻이야. 아나톨 프랑스라는 프랑스 사람이 아주 오래전에 한 말이란다."

방문이 하나둘씩 열리면서 아빠와 히아신스의 오전 독대 시간은 끝이 났다. 위층 욕실에서 수도꼭지가 열리자 브라운스톤 벽의 파이프를 쉭 통과하는 물소리가 들렸다. 뒤이어 둔탁한 소리가 났다. 틀림없이 올리버가 침대에서 내려오다가 사다리 위에서 뛰어내리는 소리일 것이다.

가벼운 발소리가 위층 복도에서 나더니 계단 위에서 멈췄다. 레이니가 깬 것이다. 레이니가 계단을 한 번에 한 개씩 밟고 내려오자 계단은 경쾌하게 삐걱 소리를 냈다. 드디어 계단을 다 내려온 레이니는 아빠에게 전속력으로 뛰어가 아빠 무릎에 폴짝 뛰어올라 아빠 코에 자기 코를 비볐다.

아빠, 그리고 가장 어린 두 딸은 그렇게 몇 분 되지 않는 소중한 시간을 함께했다. 그러는 사이에 나머지 가족도 잠이 깼고, 도시의 소음도 점점 커지기 시작했다.

ж·ж·ж·ж

10분 뒤에 밴더비커가의 집은 침실과 욕실, 위층과 아래층을 오가는 아이들과 부모로 가득 차 시끌벅적했다. 아래층에 내려온 이사는 한쪽으로 몰려 헝클어진 머리를 한 올리버가 아일랜드 키친에서 책을 펴 놓고 의자에 비스듬히 앉아 책을 응시하는 모습을 보았다. 이사는 올리버 맞은편에 있는 의자를 꺼내 앉았다.

"야, 우리가 정말 나흘 만에 비더먼 아저씨를 이길 수 있을까?"

이사는 머리를 뒤로 쓸어 모아 땋으면서 물었다.

올리버는 책에서 눈을 떼지 않고 대답했다.

"물론. 하는 김에 미국의 부채 위기도 해결하고 범고래도 구하는 게 어떨까?"

"그럼…… 넌 아니라는 거야?"

"솔직히 말하면, 아무 생각 없어."

"네 아이디어가 훌륭하다고 생각했는데."

"정말?"

"그럼! 내가 그런 거에는 감이 좋잖아."

"그럼 내가 낸 '다른' 아이디어도 들어 볼래?"

올리버가 책을 덮으며 물었다.

"내 생각엔, 레이니, 히아신스, 제시를 합동 작전에 투입해야 해. 먼저 제시가 자물쇠를 따는 거야. 그런 다음에 히아신스가 바늘로 비더먼 아저씨를 고문하는 거지. 마지막으로 레이니가 뽀뽀와 안아 주기로 아저씨를 숨 막히게 하는 거야. 언제까지냐 하면……."

"그냥 첫 번째 아이디어가 성공하길 빌자. 우리가 얼마나 멋진 애들인지 깨닫고 제발 여기서 계속 살라고 우리한테 사정하기를!"

"하여간 누난 착해서 탈이야. 누나도 낄 만한 계획을 짜 볼 수 있긴 한데 말이야……."

올리버와 이사가 비더먼 작전을 상의하는 동안, 히아신스는 펠트 천을 한 아름 안고 내려왔다. 그리고 거실 카펫 위에 앉아서 자신의 전매특허인 빨간 식탁용 매트를 만들기 위해 동그라미 모양으로 천을 자르기 시작했다. 프란츠는 바셋 하운드 특유의 애처로운 눈으로 히아신스를 쳐다보고는 먹이 그릇으로 걸어가 천천히 그릇을 밀어 거실을 가로질러 히아신스의 무릎까지 갔다.

히아신스는 금세 상황의 심각성을 눈치 챘다.

"불쌍한 프란츠! 배가 많이 고프구나!"

프란츠는 히아신스를 바라보고 곧바로 용서했다.

히아신스는 그릇에 사료를 정확히 한 스푼 덜어 주었다. 수의사가 프란츠에게 먹이를 많이 주면 비만이 될 거라고 주의를 준 탓이다. 병원에 함께 갔던 올리버는 히아신스만 들을 정도로 속삭였다.

"이미 늦었거든요."

어른은 못 듣고 아이만 들을 수 있게 말하는 게 올리버의 특기였다.

히아신스가 프란츠에게 사료를 주는 동안 제시는 아침에 자고 일어나면 만들어지는 특유의 부스스한 머리를 한 채 아래로 내려왔다. 반짝이는 왕관을 쓴 레이니가 그 뒤를 따라왔다.

"우리 갔다 올게!"

제시가 레이니에게 보라색 파카와 반짝거리는 부츠를 신기면서 이사, 올리버, 히아신스에게 인사를 했다.

"치즈 크루아상 잊지 마."

올리버가 상기시켰다.

"좋은 생각이야!"

제시는 다 해진 스카프를 집어 목에 두르면서 말했다.

"그만큼 비더면 아저씨를 설득하기 쉬워지겠지."

"나 먹으려고 한 건데?"

올리버가 해명했다.

"뭐, 비더먼 아저씨 거 몇 개 더 사던지."

제시와 이사는 어이없다는 듯 눈을 굴렸다. 제시는 레이니의 손을 잡고 나갔다. 밖으로 나가자마자 다른 구역에 있는 큰 아파트의 관리인인 스마일리 씨와 부딪혔다. 스마일리 씨의 딸이자 올리버의 친구인 앤지도 함께였다.

"안녕, 레이니? 안녕, 제시?"

스마일리 씨가 인사를 건넸다.

"올리버한테 농구 한 게임 빚진 거 있다고 말해 줘요."

앤지가 부탁했다. 올리버와 앤지는 무슨 일이든 1대1 농구 게임 내기를 했다. 앤지가 워낙 실력이 좋아서 남자 농구팀에서 입단해 달라고 빌었다는 소문이다.

제시와 레이니는 손을 흔들며 인사를 하고 두 사람과 헤어졌다. 그리고 작은 탑들이 있는 브라운스톤, 담쟁이덩굴로 뒤덮인 브라운스톤, 소나무 화환으로 모든 창문이 장식되어 있고 육중한 나무문에 대형 화환과 진홍색 나비 리본이 장식된 브라운스톤을 차례로 지났다. 아이들은 모퉁이를 돌아 대로 쪽으로 나갔다. 한적한 길을 벗어나자 시내버스들이 시끄럽게 브레이크를 밟으며 지나갔고, 상점 주인들은 간밤에 내려두었던 철문을 열어 올리기 시작했다. 쓰레기 트럭은 끼익 대며 다음 장소에 섰다. 이웃인 환경 미화원 마크 아저씨가 트럭 뒤에서 뛰어내려 쓰레기통의 가득 찬 내용물을 트럭으로 던졌다.

"아저씨, 힘세다!"

레이니가 아저씨를 불렀다.

"나도 힘세질 거예요."

레이니가 팔뚝 근육을 보여 주려고 팔을 흔들자 마크 아저씨가 레이니를 보고 웃었다.

"레이니, 아저씨 농담 한 번 들어 볼래? 빨갛고 하얗고, 빨갛고 하얗고, 빨갛고 하얀 건 뭐지?"

레이니는 고개를 갸우뚱했다.

"막대 사탕?"

"그것도 답이지만, 그거 말고 또 있어."

마크 아저씨는 트럭 뒤에 다시 올라타서 말했다.

"말해 주세요!"

레이니는 멀어지는 트럭을 향해 소리를 질렀다. 그러자 아저씨가 답을 큰 소리로 외쳤다.

"언덕에서 굴러 떨어지는 산타클로스!"

레이니는 깔깔거리며 트럭 뒤에서 인사하는 마크 아저씨에게 손을 흔들었다.

아이들은 대로를 걸어갔다. 졸린 눈을 한 손님들이 줄지어선 할렘 커피, 방금 문을 연 에이 투 제트 식품점, 그리고 몇 시간 더 있어야 문을 열 도서관을 지났다. 도서관을 막 지나쳐 137번가에서 오른쪽으로 돌자 캐슬먼 베이커리가 아직 보이지도 않는데도 버터 향 가득한 고소한 빵 냄새가 났다.

전설적인 치즈 크루아상의 전당 캐슬먼 베이커리는 시립 대학교 정문

맞은편에 있다. 벌써 몇십 년째 같은 자리에서 장사를 해서 이곳에서 빵을 사려고 주 경계선이라도 넘을 기세인 단골손님들이 많다. 밴더비커 아이들은 비더먼 씨가 버터가 많이 들어갔지만 전혀 느끼하지 않고 얇게 벗겨지지만 부스러지지 않는 페이스트리를 한입만 먹어도 단박에 마음이 바뀔 거라고 진심으로 믿었다.

캐슬먼 씨는 동네에서 유명한 제빵사이고, 캐슬먼 부인은 매장 운영을 맡고 있다. 부부에게는 베니라고, 쌍둥이 자매와 같은 학교에 다니는 8학년생 아들이 있다. 베니는 이사와 친하다. 주말이나 주간에 학교가 끝나면 계산대를 맡아 부모님을 돕는다. 베니의 제안으로 부모님은 얼마 전 터치스크린이 있는 전자식 금전 등록기를 들여놓았다. 여기에는 모든 제품의 가격이 등록되어 있고, 신용카드 리더기도 같이 있어서 손님들이 손가락으로 사인만 하면 된다. 하지만 등록기를 쓸 줄 아는 사람은 베니뿐이다. 캐슬먼 부인은 돈통이 열릴 대마다 '땡!' 하고 힘차게 울리는 구식 금전 등록기를 더 좋아한다.

"안녕? 어서 와, 밴더비커 자매들!"

베니가 두 개의 금전 등록기 뒤에서 활짝 웃으며 인사를 건넸다. 미식축구 유니폼 상의와 청바지 위에 앞치마를 두르고 있었다. 제시가 베니를 보고 웃었고, 레이니는 계산대 밑으로 들어가서 베니의 허리를 두 팔로 감싸 안았다.

"안녕, 레이니 공주님?"

레이니가 왕관을 고쳐 쓰는 동안 베니가 인사했다.

"재미있는 퀴즈 낼까?"

레이니가 물었다.

"그래."

"알았어. 언덕 밑으로 굴러 떨어지는 산타클로스는 뭐게? 앗, 아니, 아니…… 아…… 잊어버렸어."

당황한 레이니는 눈살을 찌푸렸다.

"빨갛고 하얗고……."

제시가 힌트를 주었다.

"아, 맞다. 빨갛고 하얗고, 빨갛고 하얗고, 빨갛고 하얀 건 뭐게?"

베니는 검지로 턱을 두드렸다.

"흠…… 엄청 어려운걸. 흠……."

레이니는 신이 났다.

"모르지? 내가 말해 줄까?"

"그래. 아무리 생각해도 답을 모르겠어."

"언덕에서 굴러 떨어지는 산타클로스야."

베니가 깔깔깔 웃었다.

"와, 진짜 재밌다. 기억해 둬야지."

베니는 레이니를 안아 올려 금전 등록기 옆에 앉힌 다음에 주둥이가 넓은 유리병에서 잼 쿠키를 꺼내 건넸다. 그리고 다시 손을 넣어 쿠키 하나를 더 꺼내어 제시에게 정중하게 허리를 굽혀 인사하며 내밀었다.

"고마워, 버니."

제시가 쿠키를 한입 베어 물며 말했다. 베니는 열 살이 되던 날 사람들이 이제부터 자기를 '벤저민'이라고 불러 주길 바랐지만, 아주 오래전부터 베니를 알던 제시는 자꾸 그걸 까먹었다.

캐슬먼 부인은 둥근 거북 등딱지 사이로 아이들을 주시하고 있었다. 부인의 시선이 유리 진열장 바로 위를 통과했다.

"늘 고르던 대로지?"

캐슬먼 부인이 묻자 제시가 고개를 끄덕였다.

"저희 위층 이웃에게 갖다 주게 가장 훌륭한 아침 식사용 빵으로 세 개 더 주세요."

"조지 할머니와 지트 할아버지는 잘 계시니?"

"네, 그런데 이 빵은 할머니 할아버지를 위한 게 아니에요. 이번에는 저희 위층 위층 이웃인 비더먼 아저씨에게 드리려고요."

놀란 캐슬먼 부인이 한쪽 눈썹을 치켜올렸다.

"비더먼 씨?"

"4층에 사시잖아요. 아저씨가 저희를 좋아하게 만들려고요."

제시는 가방 속 지갑을 뒤졌다.

"비더먼 씨……."

캐슬먼 부인은 허리를 굽혀 진열장에서 빵을 꺼내며 가만히 중얼거렸다.

비더먼 아저씨의 이름을 부르는 부인의 태도에 제시는 가방을 뒤지던 손을 멈췄다. 몸을 기울였지만 진열장 너머로는 빵을 집는 부인의 손밖에 보이지 않았다.

"비더먼 아저씨를 아세요?"

침묵이 흘렀다. 제시가 더 큰 소리로 다시 물어보려는데 베니가 끼어들었다.

"제시, 8학년 댄스파티 얘기 들었어?"

베니는 계산대 위에 팔꿈치를 기대고 아무렇지도 않은 척 물었다. 금전 등록기 옆에 앉아 있던 레이니는 '동전 놓고 동전 먹기'라고 적힌 작은 컵에서 동전을 집어 올리며 놀고 있었다.

제시는 한 번 더 캐슬먼 아줌마를 바라봤다가 베니에게로 몸을 돌려 대답했다.

"아니. 그게 뭔데?"

제시는 가방을 밑바닥까지 뒤지며 되물었다. 낡은 과학 공책. 낡아빠진 포장지에 싸인 사탕 두 개. 흠이 난 계산기……. 아, 지갑 찾았다!

"걔도 댄스파티에 갈까?"

"누구?"

베니는 두 손을 청바지 주머니 깊숙이 찔러 넣으며 말했다.

"이사 말이야. 네 쌍둥이 자매."

"이사? 이사가 8학년 댄스파티에? 베니, 이사는 7학년이잖아. 7학년이 어떻게 8학년 댄스파티에 가?"

"8학년이랑 같이 가면 돼. 내가 8학년이잖아. 물론 이사한테는 아주 친절하게 물어볼 거야. 그럼 가겠다고 할까?"

베니는 좌우로 몸을 흔들기 시작했다.

그때 레이니가 끼어들었다.

"나 춤 좋아해."

레이니는 잔돈 컵에서 동전 두 개를 꺼내서 베니에게 쥐어 주며 말했다. 베니는 동전을 받아서 다시 컵에 놓았다.

그러는 사이 제시의 심장은 지난달 과학 수업에서 썼던 원심분리기마냥 빙글빙글 돌았다. 베니가 이사를 댄스파티에 초대한다고? 나는 빼고? 제니와 이사는 한 번도 혼자서 댄스파티에 간 적이 없다. 남자아이를 데이트 상대로 해서 댄스파티에 간 적은 더더욱 없다. 그건 '쌍둥이의 규칙'을 어기는 일이 틀림없다. 이 불문법의 어딘가에 혼자 댄스파티에 가서는 안 되고, 특히 데이트 상대와 같이 가면 안 된다고 명시한 조항이 분명 있을 것이다.

"베니, 미안하지만 너랑 같이 가고 싶어 하지 않을 것 같은데. 네가 이상해서가 아니라…… 그냥 그러지 않을 것 같아."

베니의 안색이 금세 나빠졌다.

"왜?"

제시는 베니가 조금 안됐다는 생각이 들었다.

"네가 싫어서가 아니라, 그냥 이사가 그러겠다고 할 것 같지 않아서."

제시는 지갑을 열어 돈을 꺼냈다.

"나 춤추는 거 좋아."

레이니는 컵에서 동전을 또 집어 올려서 외투 자락으로 동전을 문지르며 말했다.

베니는 제니에게도 레이니에게도 아무 대꾸를 하지 않았다. 그 대신 제시의 주문을 가만히 금전 등록기에 등록하고 돈을 받고 잔돈을 내주었다.

"고마워, 베니."

제시는 크루아상과 비더먼 아저씨를 위한 빵이 든 봉지를 받아 들었다. 베니는 레이니를 계산대에서 내려 주었다. 레이니는 다시 밑으로 들어가 계산대 반대쪽에서 제니의 손을 잡았다.

"그럼 또 보자."

제시가 손을 한 번 흔들어 보이며 인사를 했다.

"안녕히 계세요, 아줌마!"

두 자매가 빵집 문을 나서자 베니와 캐슬먼 부인은 두 사람이 멀어지는 모습을 지켜봤다. 눈치 빠른 캐슬먼 부인은 머릿속이 복잡해 보이는 베니를 남겨둔 채 남편이 빵 반죽을 치대고 있는 뒤쪽 조리실로 들어갔다.

6

빵집을 나서는 순간, 제시의 머릿속에서 댄스파티와 베니, 그리고 쌍둥이의 규칙에 대한 생각은 새하얗게 지워져 버렸다. 비더먼 아저씨에게 드릴 페이스트리 봉지를 들고 있던 레이니는 집으로 돌아가는 길에 몰래 갈색 봉지 안으로 손을 쑥 집어넣었다. 달콤하고 계피 향 나는 애플파이 때문에 머리가 핑 돌 지경이었다. 하나쯤 집어먹더라도 비더먼 아저씨는 화내지 않을 거라고 생각했다.

"꿈도 꾸지 마."

제시가 레이니의 턱을 쥐며 경고했다. 레이니는 두 볼을 빵빵하게 만들고는 봉지를 말아 닫았다.

이사, 히아신스, 올리버는 부엌에서 제시와 레이니가 돌아오길 기다리고 있었다. 이사는 상기된 얼굴로 재촉했다.

"빨리빨리! 엄마랑 아빠한테 침대로 아침 식사 대령한다고 하고 2층으로 올려 보냈어. 얼마나 좋은지 질문도 하나도 안 하고 들어가셨어."

히아신스는 비더먼 아저씨의 아침을 준비하기 위해 아끼는 차 쟁반과 차제구를 꺼냈다. 쟁반은 색이 바랬지만 역시 예뻤다. 중앙에는 큰 무지개가 떠 있고 그 위에 하프를 든 천사 세 명이 날아다니는 그림이 들어가 있었다. 중국제 찻주전자는 이가 빠진 곳이 두 군데밖에 없었다. 히아신스는 냅킨 대신 빨간 체크무늬 천을 고이 접어 쟁반에 올려두었다. 아이들은 커피포트에 남아 있는 커피를 찻주전자에 옮겨 부었다. 올리버가 설탕 세 스푼을 가득 넣었고, 거기에 이사가 우유를 부었다. 제시가 커피를 젓고 나자 이사가 찻주전자를 쟁반 위에 올렸다. 히아신스는 레이니가 든 봉지에서 페이스트리를 꺼내서 예쁘게 쟁반에 담았다. 아이들 생각으로는 비더먼 아저씨가 침대에서 아침을 먹는 기쁨을 지금까지 한 번도 누려본 적이 없을 것 같았다. 그러니까 올리버의 기막힌 아이디어가 꼭 성공할 거라고 확신했다.

제시가 레이니에게 물었다.

"준비됐어?"

그러자 레이니가 짹짹거리듯 대답했다.

"됐어, 됐어!"

아이들은 2층으로 올라가서 엄마 아빠가 있는 침실 앞을 살금살금 지나쳤다. 그리고 1층 복도로 이어지는 문을 열었다.

"조심해!"

이사가 속삭였다.

"행운을 빌어."

올리버도 작은 소리로 격려했다.

히아신스는 아무 말도 하지 않았다. 입술을 꽉 깨문 표정에 걱정하는 기색이 역력했다. 아이들은 제시와 레이니가 계단을 오르는 모습을 지켜봤다.

밴더비커가에서 새어 나오는 세제, 오래된 책, 더블 초콜릿 피칸 쿠키 냄새가 3층에 사는 조지 할머니의 장미 향수 냄새로 바뀌었다. 4층으로 이어지는 계단은 올라가는 내내 삐걱거렸고, 짙어지는 퀴퀴한 냄새는 마치 브라운스톤이 아이들에게 보내는 경고음 같았다.

제시는 크게 숨을 들이마시면서 노크할 준비를 했다. 그런데 숨을 내뱉기도 전에 레이니가 두 주먹으로 문을 쾅쾅 두드리기 시작했다.

"레이니!"

제시는 쟁반의 균형을 잃지 않으려고 안간힘을 쓰면서 레이니가 다시 문을 두드리지 못하도록 막았다. 하지만 찻주전자가 덜덜 떨리면서 쟁반 한쪽으로 미끄러졌다. 제시는 재빨리 무릎을 들어 올려 쟁반을 받쳤지만 힘을 꽉 준 게 탈이었다.

"으악!"

제시가 외치는 사이, 찻주전자는 쟁반 반대편으로 미끄러지면서 바닥으로 떨어져 산산조각이 났고, 페이스트리 세 개도 그 위로 떨어졌다.

"으악, 으악, 으아아아악!!"

제시는 문을 힐끗 봤다. 문에 난 작은 구멍은 검은 점을 중심으로 점점 더 작아지는 원들로 보였다. 그때 구멍이 눈을 깜빡였다.

"으악!"

제시의 외침이 조금 더 커졌다. 제시는 레이니를 들어 올려 계단을 쿵쾅쿵쾅 내려왔다. 엉망이 된 아침 식사는 비더먼 아저씨네 문 앞에 널브

려져 있었다.

✖·✖·✖·✖

1층 문 앞에서 기다리던 이사, 히아신스, 올리브는 제시가 지르는 비명과 이어서 쿵쾅거리는 소리를 들었다. 몇 초 뒤에 제시와 레이니가 계단을 쏜살같이 내려왔다. 이사는 충격에 빠진 제시의 얼굴을 보고 질문을 퍼부었다. 이사가 문을 열자 아이들 모두 안으로 쏜살같이 들어갔다. 그 뒤로 문이 쾅 하고 닫혔다.

"대·실·패."

제시가 벽에 등을 기대고 헐떡였다.

"쉿!"

이사가 안방을 손가락으로 가리키며 조용히 하라고 시켰다. 아이들은 살금살금 이사와 제시의 방으로 들어가 문을 닫았다.

"어떻게 된 거야?"

이사가 문이 닫히자마자 물었다.

제시는 흥분 상태였다.

"쟁반이 기울어져서 다 쏟았어. 미안해, 히아신스. 찻주전자가 깨졌어."

히아신스는 휘둥그레진 눈으로 제시를 바라봤다.

"쟁반을 떨어뜨리고 나서 문을 봤는데, 아저씨가 악마 같은 눈으로 구멍을 통해서 나를 보고 있는 거야. 아저씨가 나를 온갖 주문으로 저주하는 것 같았어. 쏟아진 걸 다 치우고 아저씨한테 설명이라도 해야 했는데, 제정신이 아니었어. 미안. 나 때문에 다 망했어."

제시가 횡설수설하자 이사가 제시를 끌어안으며 진정시켰다.

"괜찮아, 괜찮아. 내가 치울 테니까 걱정하지 마."

"나도 도울게."

히아신스가 끼어들었다. 그러자 올리버도 나섰다.

"나도."

레이니는 치즈 크루아상을 먹여서 제시의 상처 받은 영혼을 치유하는 역할을 맡았다. 그 사이에 이사, 히아신스, 올리버는 청소 도구와 쓰레기봉투를 들고 3층으로 올라갔다. 아꼈던 찻주전자의 잔해를 주워 쓰레기봉투에 담는 히아신스의 눈에 눈물이 맺혔다. 올리버는 엎질러진 커피를 키친타월로 닦고 커피에 젖은 아까운 페이스트리들을 애도했다. 이사는 구멍을 쳐다보지 않으려고 노력하면서 바닥이 끈적거리지 않도록 마지막으로 대걸레질을 했다. 아이들은 각자 비더먼 작전에 커다란 차질이 생겼다고 생각하며 조심조심 계단을 내려왔다.

✖·✖·✖·✖

이사, 올리버, 히아신스가 청소를 하는 동안 제시와 레이니는 크루아상을 엄마 아빠에게 갖다 드렸다. 레이니는 아빠가 누워 있는 쪽으로 가서 휴대전화로 작업일지를 살펴보는 아빠에게 찰싹 달라붙었다. 레이니는 아빠의 작업일지가 키보드에 커피를 쏟았거나 키보드를 아무리 눌러도 검은 화면만 뜨는 문제 등 아빠가 해결해야 할 컴퓨터 문제를 의미한다는 걸 알고 있었다.

엄마는 제시가 침대 옆에 서자 휴대전화에서 눈을 들어 제시를 쳐다보았다. 엄마는 부동산 사이트를 둘러보는 중이었다.

"뭐? 왜?"

엄마는 침대 옆 탁자에 전화기를 내려놓으며 물었다.

제시는 어깨를 한 번 으쓱하고는 크루아상이 든 봉지를 내밀었다.

"말해 봐."

엄마는 제시를 침대에 앉히며 말했다. 침대에 걸터앉은 제시가 털어놓았다.

"이사 가는 것 때문에 정말 속상해."

엄마는 고개를 끄덕이면서 제시의 어깨를 감쌌다.

"이 집에 추억이 너무 많지."

엄마는 6년 전에 잠시 경계망을 벗어난 세 살배기 올리버가 후기 인상파 같은 가족 그림을 그려 놓은 벽을 바라봤다. 이 그림이 기적처럼 느껴지는 건, 올리버가 자기만 그린 것이 아니라 미친 과학자처럼 헝클어진 머리를 한 제시, 매끄러운 포니테일을 한 이사, 그리고 엄마 아빠뿐만 아니라 아직 태어나지도 않은 히아신스와 레이니까지 그렸다는 사실이다.

"이 부분은 떼어 내서 새집으로 가져가자."

엄마가 말하자 제시도 거들었다.

"아서 삼촌이 해 주실 거야."

"비더먼 씨가 벽에 구멍 뚫어 놓으면 싫어하실 것 같아."

그림을 계속 바라보던 엄마의 볼 위로 눈물방울이 떨어지자 제시는 깜짝 놀랐다.

"아이, 엄마, 울지 마!"

제시는 자기 눈이 타는 것 같이 아파하며 말했다.

"우리 예쁜 딸. 엄마 걱정은 하지 마."

엄마는 손으로 눈물을 닦아내며 제시에게 씩씩하게 웃어 보였다.

"잠깐 감성적이 된 것뿐이야."

제시는 목구멍이 조여 오는 것 같았다. 한 시간 전으로 돌아가 모든 걸 다시 하고 싶었다. 쟁반을 우아하고 침착하게 받쳐 들고 비더먼 아저씨에게 내밀면 아저씨가 고맙다고 활짝 웃으며 쟁반을 받는 상상을 했다. 몇 년 동안이나 냉동식품으로 저녁을 때웠을 아저씨는 제대로 된 음식에 무척 기뻐했을 것이다. 치즈 크루아상을 한입 베어 물자 눈이 번쩍 떠지고, 밴더비커가는 영원히 자기 집에 살아도 된다고 말했을 것이다.

이 상상이 현실이었다면 얼마나 좋을까!

7

밴더비커가의 다섯 아이들이 아래층에 모여 어두운 분위기 속에서 아침 식사를 시작했다. 맥 빠진 제시를 보며 히아신스는 작전 실패에 책임을 느꼈다. 히아신스가 첫 번째 작전을 했으면 좋겠다고 제안한 것도 제시였으니. 이제 히아신스가 나서서 사태를 수습할 차례였다.

식사를 마치자마자 히아신스는 프란츠를 데리고 자기 방으로 들어갔다. 프란츠가 새를 보고 창문 밖으로 컹컹 짖어대는 동안 히아신스는 바느질 용품과 빨간색, 초록색 펠트 천을 꺼냈다. 그리고 초록색 펠트 천으로 비더먼 아저씨의 이름 철자를 조심스럽게 오려 냈다. 그런 다음에 바늘에 실을 꿰어 빨간 사각형 펠트 천 위에 철자를 하나씩 꿰매기 시작했다.

그런데 철자들이 천 위에 똑바로 정렬되지 않았다. 철자 네 개는 조금씩 위로 비스듬히 기울어졌다. 히아신스는 남은 글자 몇 개로 수정을 해보려고 애썼지만 엠(M)자에 도달했을 때에는 이름이 반대 방향으로 기울어지고 있었다. 바느질을 끝낼 무렵에는 이름이 완전히 비뚤비뚤했다. 그리고 뭔가 빠진 느낌이었다. 히아신스는 아이(I)가 이(E) 앞에 온다고 생각했었는데, 바느질을 하고 보니 뭔가 틀린 것 같았다.

바느질을 끝내고 나니 손가락이 저려 왔다. 히아신스는 완성한 식탁 매트를 돌돌 말아서 초록색 벨벳 리본으로 묶었다. 리본을 하염없이 바라보는 히아신스의 눈에서는 수집품에서 천들이 빠진다는 걸 슬퍼하는 기색이 역력했다. 아름다운 물건과 헤어지는 일이 히아신스에게는 쉽지 않았다.

"프란츠, 용감해질 준비됐어?"

히아신스가 묻자 프란츠는 앞발을 들어 히아신스의 배에 갖다 댔다.

히아신스가 밴더비커가의 넷째, 부끄럼 많고 겁 많은 아이 그 이상을 보여 줘야 할 시간이 왔다.

히아신스는 용감한 히아신스가 될 필요가 있었다. 집을 구하기 위한 미션을 맡은 전사가 되어야 했다.

용감한 전사 히아신스와 프란츠는 집을 나와서 위층으로 올라갔다. 올라가는 내내 브라운스톤의 계단들이 훌쩍였다.

"용감해라. 용감해라. 용감해라."

히아신스는 혼잣말로 속삭였다. 프란츠를 내려다보니 충직한 프란츠는 주인을 보고 꼬리를 흔들며 활짝 웃었다. 히아신스는 어깨를 펴고 문을 두드렸다.

그런데 문을 두드리면서 뭔가 안 좋은 일이 생길 거라는 직감이 들었다. 안에서 들리는 쿵쿵거리는 발자국 소리를 듣기도 전에, 자물쇠가 찰칵 열리고 문이 쾅 열리기도 전에, 히아신스는 알고 있었다.

히아신스는 짙은 머리가 텁수룩하고 수염이 희끗희끗한 괴물 앞에서 있는 마냥 벌벌 떨었다. 괴물의 얼굴은 지치고 창백하고 생기 없어 보였다. 그는 머리끝부터 발끝까지 온통 검은 옷을 입고 있었다.

"날 좀 가만히 내버려 둬."

아저씨의 목소리에 히아신스는 깜짝 놀랐다. 마치 입에 못을 잔뜩 문 것처럼 날카로운 목소리였다.

"썩 꺼져. 날 귀찮게 하지 마."

히아신스는 1초 동안 언 상태로 서 있었다. 히아신스는 더 이상 용감한 전사가 아니었다. 밴더비커가의 넷째, 1등 겁쟁이, 141번가에서 가장 수줍음 많은 소녀로 돌아왔다. 히아신스는 아저씨의 발밑에 매트를 떨어뜨리고 계단을 휘청거리며 내려왔다. 프란츠가 졸졸 따라왔다. 히아신스는 집에 도착해서 문을 쾅 닫았다.

안전한 자기 방에 들어오자 눈물이 터져 나왔다. 딸꾹질을 동반한 대홍수 같은 눈물이.

✖·✖·✖·✖

현관문이 쾅 하고 닫히더니 이어서 동생의 방문이 열리고 다시 닫히는 소리가 들릴 때 자기 방에 있던 올리버는 배에서 쿠르릉거리는 소리를 들었다. 올리버는 아주 잠깐 무슨 큰일이 일어난 건가 생각했지만 그 다음엔 아무 소리도 들리지 않자 책을 옆으로 밀어 놓고 부엌에 가서 엄마가 숨겨둔 더블 초콜릿 피칸 쿠키를 찾아보기로 마음먹었다. 올리버는 방문을 열었다.

그때 흐느끼는 소리가 들렸다.

히아신스 같았다.

처음엔 무시하려 했는데—쿠키가 부르니까—흐느끼는 소리가 더 커졌다.

올리버는 히아신스와 레이니의 방문을 두드렸다. 답이 없었다. 올리버는 문을 열고 안을 들여다봤다. 프란츠가 카펫 위에 앉아서 킁킁거리고 있었다. 히아신스는 2층 침대에 누워서 뚱뚱한 펭귄 인형을 품에 꽉 안고 있었다.

올리버는 방으로 들어와 문을 닫았다.

"나 올라가도 돼?"

대답 대신 숨죽여 우는 소리가 들렸다. 올리버는 그 소리를 좋다는 대답으로 받아들이고 2층 침대로 올라갔다. 눈물로 얼룩진 얼굴과 퉁퉁 부은 눈의 히아신스는 가여워 보였다.

"괜찮아?"

올리버가 물었지만 답이 없다.

"뭐가 문제인지 말해 줄래?"

여전히 아무 말이 없다.

"내가 검 가지고 와서 무찔러 줄까?"

히아신스는 훌쩍거리며 뭐라고 중얼거렸다. 마치 '미스 비비 마니아'라고 들렸지만 올리버는 그럴 리 없다고 확신했다. 히아신스의 등을 토닥토닥 두드려 주면서 올리버는 히아신스가 좀 더 말이 되는 말을 할 때까지 기다렸다.

"오늘 아침에, 딸꾹, 일어난 일을, 딸꾹, 바로잡아야겠다고, 딸꾹, 생각했어. 그래서 식탁 매트를, 딸꾹, 만들어서, 딸꾹, 아저씨한테 갖다 드리려고, 딸꾹, 위로 올라간 거야. 딸꾹. 내가 용감한 히아신스라고, 딸꾹, 생각했지만, 딸꾹, 아저씨는 내가, 딸꾹, 만나본 사람 중에서, 딸꾹, 최고로, 딸꾹, 무서운 사람이었어."

히아신스의 눈에 눈물이 그렁그렁 고였다.

올리버는 무서운 표정을 지으며 어깨와 목을 돌렸다.

"아저씨에게 해적의 결투를 신청해야겠어."

올리버는 검을 놀리는 시늉을 했다.

"받아랏, 비더먼!"

히아신스는 촉촉한 눈으로 올리버를 바라보았다.

"나의 대적할 수 없는 해적의 기술로 비더먼 아저씨를 쳐부수면 프란츠가 비더먼 아저씨네 문에 다시 오줌을 쌀 수 있을 거야. 그럼 네 기분도 나아지겠지?"

"아저씨가 왜 우리를 그렇게 미워하는지 정말 모르겠어."

히아신스가 흐느끼며 말했다.

올리버는 풀이 죽었다.

"어쩌면 우리가 이사를 가는 게 최선일지도 몰라. 그러면 적어도 아저씨를 안 보고 살 수는 있잖아."

히아신스는 서글프게 고개를 저었다.

"난 이 집이 좋은걸. 옛날로 다시 돌아갔으면 좋겠어. 그러면 아저씨한테 우리가 잘할 텐데."

히아신스의 눈에 다시 눈물이 고이기 시작했다.

히아신스가 다시 울음을 터뜨릴 거라는 생각에 올리버는 아래층으로 내려가서 수집한 단추를 보여 달라고 했다. 히아신스의 기운을 북돋고 싶을 때 절대 실패하지 않는 방법이다. 사실 올리버는 지겨워 죽겠지만……. 올리버는 거실로 내려가다가 문득 뭔가가 생각났다.

"히아신스?"

"응?"

"그런데 비더먼 아저씨는 어떻게 생겼어?"

히아신스는 발걸음을 멈추고 생각에 잠겼다.

"작년에 아서 삼촌이랑 봤던 영화 기억해? 늑대인간이 동굴에서 기어 나와 유니콘을 공격하던 영화?"

"그런데?"

"비더먼 아저씨가 그 늑대인간을 닮았어."

"와!"

올리버는 참고 있었는지도 몰랐던 숨을 내쉬며 감탄했다.

"멋진걸!"

ж·ж·ж·ж

올리버가 히아신스의 기분을 달래 주려고 애쓰는 동안 레이니는 파가니니를 데리고 조지 할머니와 지트 할아버지가 사는 위층에 올라가도 좋다는 엄마의 허락을 받았다. 레이니가 할아버지 할머니한테 찾아가기 좋아하는 데에는 많은 이유가 있다.

1. 조지 할머니는 세상에서 가장 맛있는 잼 쿠키를 만드신다. 쿠키 중간에 딸기잼을 듬뿍 바르고 오렌지 마멀레이드는 절대 절대 안 쓰신다.

2. 지트 할아버지는 레이니가 하는 말을 항상 잘 이해하신다. 레이니가 한 말을 엄마 아빠나 언니 오빠에게 설명할 때 잘난 척하는 어른처럼 굴지 않으신다.

3. 춤을 엄청 잘 추는 조지 할머니는 레이니에게 린디 합 추는 법을 가르쳐 주셨다.

4. 할아버지와 할머니의 집에 가는 건 마법의 정원에 들어가는 것과 같다. 조지 할머니는 레이니가 원할 때마다 꽃을 고르도록 해 주신다.

엄마 아빠는 레이니에게 2년 전 지트 할아버지에게 뇌졸중이 일어났는데, 그래서 평소와는 조금 다른 모습에 말투도 약간 다르다고 말했다. 하지만 레이니는 아무렇지도 않았다. 할아버지는 레이니에게 항상 똑같았고, 레이니는 할아버지가 천천히 친절하게 말해서 단어를 다 알아들을 수 있는 게 좋았다. 이사, 제시, 올리버는 지트 할아버지가 얼마나 많이 목말을 태워 주셨는지 알려 주었다. 할아버지는 말, 잠자는 곰, 착한 용이 되어 놀아 주셨다. 레이니는 기억나지 않았지만 상관없었다. 지트 할아버지는 모든 면에서 완벽한 분이셨으니까.

레이니는 당근 몇 조각으로 파가니니를 꾀어 캐리어에 집어넣은 다음에 조심조심 3층으로 올라갔다. 몇 달 전에 계단을 오르다가 파가니니 위로 넘어져서 깔고 뭉갤 뻔했기 때문이다. 그런 일이 다시 일어나는 걸 원하지 않았다. 레이니는 깡충깡충 뛰지 않고 3층에 무사히 도착해서 캐리어를 내려두고 초인종을 누르려고 점프를 수없이 했지만 실패했다. 다섯 번째 점프를 했을 때 문이 활짝 열리더니 웃음을 가득 머금은 조지 할머니가 나타났다. 할머니는 머리에 롤러를 만 채였고 보송보송한 털 슬리퍼를 신었다. 할머니는 레이니를 꽉 안아 환영해 줬다.

"어서 와라, 우리 예쁜 레이니. 들어와서 지트 할아버지하고 나하고 차와 쿠키를 먹자꾸나."

레이니는 커다란 고사리 식물을 스치고 지트 할아버지에게 다가가 할아버지의 무릎 위에 앉았다. 지트 할아버지는 컬러를 단추로 고정시킬 수 있는 셔츠와 빳빳하게 다린 검정색 바지를 입은 말끔한 차림이었다. 커다란 데이지 꽃이 셔츠 주머니에 꽂혀 있었고 가는 흰 줄무늬가 있는 보라색 나비넥타이가 할아버지의 목 앞에 누워 있었다.

"할아버지 나비넥타이 멋져요."

레이니가 칭찬에 이어 곧장 물었다.

"그런데 비더먼 아저씨는 치즈 크루아상을 좋아해요?"

"치즈……크루아상?"

지트 할아버지는 주머니에서 데이지 꽃을 빼내서 레이니에게 건네며 물었다.

"글쎄……."

할아버지는 조지 할머니를 바라봤다.

"아저씨 본 적 있어요?"

레이니는 데이지 꽃향기를 깊이 들이마신 다음에 귀 뒤에 꽂으며 재촉했다.

조지 할머니의 표정이 불편해졌다.

"예전에 알았었지. 아무튼 음악을 많이 들었던 게 기억이 나네. 우리처럼 축음기가 있었거든. 재즈를 아주 좋아했지."

"나도 재즈가 좋아요."

레이니가 대꾸했다. 조지 할머니는 몸을 기울여 레이니의 이마에 입을 맞추며 말했다.

"나도 그렇단다."

지트 할아버지는 레이니의 머리 한 가닥을 잡아당겼다.

"파가니니……같이……왔니?"

"여기 있어요."

레이니는 할아버지 무릎에서 내려와서 캐리어로 갔다. 캐리어의 지퍼를 내리자 파가니니의 코끝이 톡 튀어나왔다. 조지 할머니가 지트 할아버지에게 고수 한 가닥을 주자 파가니니의 코가 알아서 맛있는 고수로 길을 안내했다. 파가니니는 할아버지의 손에서 고수를 뽑아서 빠르고 효율적으로 먹기 시작했다. 지트 할아버지는 입술이 한쪽으로 일그러진 채 껄껄 웃으셨다.

"네가……훈련……시켰구나? 재주……부려 봐."

레이니가 깔깔 웃었다.

"파가니니, 재주 부려 봐! 하하, 재미있어요, 할아버지."

지트 할아버지는 심각한 얼굴로 레이니를 바라봤다.

"재미……있어……야지."

레이니는 할아버지가 농담하는 게 아니라는 걸 깨달았다.

그리고 파가니니가 재주를 부릴 때 가족들이 신이 나서 자기를 바라보는 모습을 상상했다. 또 스포트라이트, 무대, 짝짝 박수도 상상에 덧붙였다.

레이니는 할아버지를 더 관심 있게 바라봤다.

"그런데 무슨 재주요?"

할아버지는 고수를 한 가닥 더 꺼내더니 파가니니를 불렀다.

"파가니니……이리 오렴."

파가니니는 구석에 있는 고무나무 화분 뒤에서 뭘 뒤지고 다니는지 바빠서 할아버지에게 눈길도 주지 않았다. 할아버지가 레이니에게 몸짓을 하자 레이니는 방을 가로질러 가서 파가니니를 들고 다시 할아버지에게로 돌아왔다. 할아버지는 고수를 빙빙 돌리면서 다시 명령을 했다. 고수 냄새를 맡은 파가니니는 제대로 된 방향으로 껑충 뛰어서 고수를 삼켰다. 어금니가 신나게 오도독오도독 소리를 냈다.

그렇게 해서 훈련이 시작되었다. 지트 할아버지는 조지 할머니에게 당근을 잘게 썰어 달라고 부탁했다. 파가니니의 훈련 도구로 쓸 참이었다. 지트 할아버지와 레이니는 "이리 와."라고 말했을 때 파가니니가 명령을 따르면 당근 조각을 상으로 주면서 훈련을 시켰다. 그날부터 레이니가 매일 파가니니와 함께 올라와 훈련을 하기로 했다. 크리스마스이브 저녁 식사가 끝나고 파가니니의 쇼를 열 계획을 세운 것이다.

"저 반짝이 드레스 입어도 돼요? 엄마 구두처럼 딸깍거리는 굽 있는 구두도요?"

레이니가 묻자 지트 할아버지는 고개를 끄덕였다.

"파가니니는……나비넥타이……매도……돼. 내가……하나……빌려……주지."

레이니는 파가니니를 캐리어에 다시 집어넣은 뒤 할머니 할아버지를 돌아보며 말했다.

"저희 이사 가는 거 알아요?"

조지 할머니는 말이 없었고 지트 할아버지는 먼 곳만 바라봤다.

결국 조지 할머니가 입을 열었다.

"알고 있단다. 아빠가 말해 줬어."

"저는 이사 가기 싫어요. 할아버지 할머니는 계속 여기 사실 거예요?"

"우린 너희와 함께 이사 가지 못할 것 같아. 멀리 이사 가기에 우리는 너무 늙었거든."

할머니가 대꾸하자 레이니가 제안했다.

"저한테 좋은 생각이 있어요. 제가 이사 가는 걸 도와 드릴게요. 짐을 아래층으로 나를 수 있어요."

"일이 어떻게 될지 좀 더 지켜보자꾸나. 우리가 너희와 함께 가지 못하면 나중에 놀러 갈게. 너희도 놀러 오면 되고."

할머니의 목소리가 떨렸다. 할아버지가 고개를 숙이자 눈물이 주르

륵 볼을 타고 흘러 바지 위에 떨어졌다.

조지 할머니는 레이니와 파가니니를 문까지 배웅해 주고 1층 집까지 안전하게 들어가는지 지켜보았다. 그러고 나서야 문을 닫았다. 할머니는 남편에게 돌아가 이마에 입을 맞추며 말했다.

"괜찮을 거예요. 우리도 괜찮을 거고요."

할머니가 속삭이며 할아버지를 안심시켰지만 눈물이 떨어지는 건 어쩔 수 없었다.

8

제시는 냉장고에서 손에 잡히는 대로 꺼내서 점심을 해결하고 도서관에서 끙끙거리며 집까지 가져온 거대한 과학 백과사전을 한 시간 읽고 나서 잠시 쉬고 싶었다. 그래서 한 번에 두 계단씩 오르며 이사를 찾으러 방으로 갔다. 드디어 문을 열었을 때, 제시는 학교 친구인 알레그라를 발견했다. 알레그라는 흉측한 드레스를 입고 방 한가운데에 서 있었다. 드레스가 어찌나 꼴사나운지 꼭 거대한 보이즌베리 나무 같았다. 이사의 침대 위에는 알레그라의 드레스만큼 괴상한 옷들이 널브러져 있었다.

제시는 눈을 가리며 얼굴을 찌푸렸다.

"으악, 나 눈 버렸어! 옷……행세를……하는……망사들이……너무 많아!"

그러자 알레그라가 헛기침을 했다.

"제시, 정신 차려. 내가 설마 개 산책시키러 나가면서 이런 옷을 입겠냐? 이건 8학년 반정장 댄스파티에 갈 때 입을 옷이라고."

알레그라는 소녀 감성인 영화에서 배운 듯한 공주 턴을 하며 말했다.

"나한텐 알레그라가 사랑스러워 보이는걸? 8학년 댄스파티에 간다니 대단하지 않아?"

이사는 알레그라를 경외하는 눈빛으로 바라보며 감탄했다.

제시는 투덜거리며 빈백 의자에 털썩 주저앉았다.

"그런가 보지."

알레그라는 생각에 잠긴 듯 제시를 바라봤다.

"내 말 좀 들어봐, 제시. 그 낡은 청바지랑 박스 티만 아니면 넌 훨씬 매력적일 거야. 예쁘게 입고 스프레이 써서 머리를 조금 가라앉히면 8학년 애가 너도 댄스파티에 초대할걸?"

제시는 눈을 위로 치켜뜨며 말했다.

"친구야, 그거야 말로 내가 복장을 바꾸지 않는 이유야. 8학년 남자애들은 자기 잘난 멋에 살거든. 댄스파티라니, 고문이 따로 없네."

제시는 동의를 구하려고 이사를 바라봤는데 이사는 다른 데 정신이 팔려 있었다.

이사는 침대 위에 있는 드레스 중 하나를 고르더니 물었다.

"나 이거 입어 봐도 돼?"

이사는 드레스 중에서 그나마 가장 덜 흉측한 옷을 골랐다. 복숭아색에 바닥을 쓸 정도로 긴 드레스는 하이웨이스트 스타일에 밑단에는 잔주름이 있었다.

"그럼."

알레그라가 흔쾌히 허락했다.

"제시, 너도 아무거나 입어 봐. 저 파란 반짝이 입으면 멋지겠다!"

"난 됐어."

제시는 손톱을 물어뜯으며 대답했다. 파란 반짝이 드레스는 피겨스케이팅 대회에 나가는 여섯 살짜리 꼬마애가 입을 만한 옷이었다.

"제시, 도와줘."

이사가 도움을 청하자 제시는 자리에서 일어나 조심스럽게 이사가 드레스를 목부터 입는 걸 도와주었다. 드레스를 매만지고 지퍼를 올려주자 이사가 한 바퀴 빙 돌았다. 그러자 제시가 감탄했다.

"와! 여왕 같네! 멋지고 강렬한 여왕."

"그 드레스 너한테 저~엉말 잘 어울린다!"

알레그라는 두 손을 가슴에 모으며 말했다.

그러더니 꺄꺄거리며 제시에게 말했다.

"너도 댄스파티에 가면 저~엉말 좋겠어."

그때 갑자기 제시는 베니와 아침에 나눴던 얘기가 생각났다. 이사는 댄스파티에 가고 싶은 걸까? 제시와 이사는 보통 이런 일에 생각이 같았다. 하지만 제시 앞에 서 있는 이사는 무척 예뻤다. 복숭아 색 드레스를 입은 모습이 꼭 어른 같았다. 멋진 댄스파티에 간다는데도 전혀 위축되지 않아 보였다. 무슨 일이 있었던 걸까? 제시는 아침에 베니와 나눴던 얘기를 들려주고 한바탕 함께 웃으려고 했는데 이제는 이사가 재미있어 할지 의심스러웠다. 이사가 제시를 빼고 댄스파티에 혼자, 더구나 남자애랑 함께 간다면 그건 무슨 의미일까? 그건 아마 쌍둥이가 함께하지 않은 최초의 사건이 될 것이다.

"이사, 진짜로. 댄스파티보다 걱정해야 할 일이 더 많거든."

제시는 자기도 모르게 큰 목소리로 말했다.

"알겠어."

이사는 대답하면서도 꿈을 꾸는 것 같았다. 드레스를 입은 자신의 모습을 모든 각도에서 거울에 비춰 보느라 정신이 없었다. 완벽한 자세가 마치 카네기홀에라도 설 기세였다.

"내 말 들었어?"

제시는 이사의 얼굴 앞에 손을 흔들어 보이며 물었다.

"이사? 비더먼 아저씨?"

"뭐? 누가 이사를 가? 비더먼이 뭐야?"

알레그라가 물었다. 그러자 이사가 꿈에서 깨어난 듯 알레그라를 바라보았다.

"우리 이사 가. 비더먼 아저씨가 우리 집주인인데, 계약을 갱신하고 싶지 않다고 한대."

"크리스마스까지 아저씨를 설득해야 해."

제시가 끼어들었다.

"나흘밖에 안 남았잖아? 아무튼, 집주인이 왜 그러는 거야?"

알레그라가 외쳤다.

제시는 어깨를 으쓱하고 대답했다.

"우리가 너무 시끄럽다나 뭐라나."

알레그라는 두 손을 엉덩이에 대고 말했다.

"집주인을 막아야 해. 이 브라운스톤은 내가 가출해서 새로운 부모를 찾지 않게 만든 유일한 이유야."

알레그라의 부모님은 둘 다 소아전문의여서 아주 많은 시간을 다른 부모의 아이들이 겪는 건강 문제를 돌보는 데 쓴다. 알레그라는 부모님이 딸이 있다는 걸 잊어버렸다고 믿는다.

"사실 오늘 아침에 비더먼 아저씨를 만나 보려고 했는데 잘 안됐어."

제시는 알레그라에게 실패한 아침 식사 작전에 대해서 설명해 주었다.

"그럼 이렇게 해. 내가 말한 대로만 하면 너희 집을 구할 수 있을 거야."

알레그라가 말도 안 되는 이상한 아이디어(특히 브라운스톤을, 그것도 현금으로 비더먼 아저씨에게서 통째로 사들이라는 정신 나간 제안을 포함하여)를 늘어놓는 동안 제시는 입을 꽉 다물었다. 알레그라는 아이디어가 바닥나자 다시 댄스파티로 화제를 돌리고 이사에게 드레스가 얼마나 잘 어울리는지 말했다. 제시는 대화에 낀 자신을 원망하며 말 한마디 없이 방을 빠져나왔다.

✖·✖·✖·✖

올리버는 몸이 배배 꼬일 만큼 지루한 20~30분을 히아신스의 단추 수집품을 보며 보냈다. 마음을 진정시키고(거의 '또 다른' 크리스마스 선물 같은) 수공예 프로젝트 생각에 빠진 히아신스를 두고 올라온 올리버는 아직까지 크리스마스 선물을 정하지 못했다는 생각이 다시 한번 떠올랐다. 히아신스는 어떤 선물을 준비했는지 궁금했다. 2주 전에 히아신스는 올리버에게 팔을 따뜻하게 만드는 장치 같은 걸 만들어 주었다.

히아신스는 일에 중독된 요정 같았다.

올리버는 방에서 선물 계획을 짤 생각이었는데 책상 위에 놓인 『보물섬』을 보고는 히아신스에게 받은 대로 돌려줄 좋은 아이디어가 떠올랐다. 그래서 흰 종이를 꺼내서 잠시 쓸 내용을 머릿속으로 정리한 다음에 적어 내려갔다.

'잘했어!'

올리버는 뿌듯했다.

4층에 사는 악당 보아라!

네가 죄책감에 사로잡혀 잠을 이루지

못하기를 바란다. 못되게 굴었으니

너에게는 검은 점이 생길 것이다.

그게 뭘 의미하는지는 잘 알겠지?

앞으로 착하게 살든지, 아니면 조심해.

나의 충고에 귀 기울이지 않는 자에게

화가 있을지니.

너의 위대한 적으로부터

'간단명료하잖아.'

올리버는 특히 검은 점이 마음에 들었다. 『보물섬』에서 검은 점은 지은 죄에 합당한 벌을 받는다는 것을 의미한다. 검은 점이 편지에 극적인 요소를 불어넣어 주는 것 같았다. 올리버는 편지를 접어서 봉투에 넣었다. 그런데 비더먼 아저씨를 설득해야 한다는 건 알았지만 아저씨가 이 편지의 주인을 어떻게 알아볼 수 있을지 몰랐다. 편지는 누구라도 보낼 수 있으니 말이다. 올리버는 아홉 살 치고는 글씨를 정말 잘 썼다.

올리버는 『놀라운 야외 어드벤처』 잡지에서 글자들을 오려서 '비더먼 아저씨'를 만들어 봉투에 풀로 붙였다. 누군가 프란츠나 파가니니를 훔쳐 간 다음에 보내올 거라고 상상한 몸값 요구 편지처럼 만들었다. 올리버는 이거라면 비더먼 아저씨의 심장이 충격을 이기지 못할 거라고 확신했다.

그날 세 번째로 밴더비커가의 아이가 꼭대기 층을 향해 계단을 올랐다. 올리버는 몰래 편지를 문 밑으로 밀어 넣은 다음에 쥐 죽은 듯 조용조용 다시 아래층으로 내려왔다. 잘했어! 아주 남자다웠어! 올리버 밴더비커, 그는 가족에 관한 일이라면 절대 물러서지 않는다는 걸 보여 주마!

올리버는 집 안으로 들어가면서 깃털을 활짝 펼친 공작처럼 의기양양하게 제시에게 달려갔다.

"넌 내가 옷 스타일을 바꿔야 한다고 생각해?"

제시의 뜬금없는 질문에 올리버는 움찔했다. 끝이 좋을 리 없는 질문이었다.

"아니."

올리버는 솔직하게 말했다. 이게 정답이길 바라면서.

"왜?"

제시는 따지듯 물었다.

"너는 내 낡은 청바지랑 땀에 절은 티셔츠가 더럽지 않아? 나는 더 예쁘게 옷 입으면 안 돼?"

올리버는 전략을 바꿔야 할 때라고 생각했다.

"그럼…… 응? 더 예쁘게 입어야 할 것 같지, 아마?"

"그러니까 넌 내가 못났다고 생각하는 거지? 너랑 다른 사람들 모두."

제시가 올리버의 말을 끊었다.

"그냥 정답을 가르쳐 주지 그래? 그럼 그렇게 말하고 나도 갈 길 가게."

올리버도 참지 못하고 쏘아붙였다.

"미안."

하지만 제시는 미안해하는 표정도 목소리도 아니었다.

"가서 아이스크림을 먹든지 아니면 캐슬먼 베이커리에 가서 초콜릿 크루아상을 먹든지!"

그러자 제시의 눈이 번뜩였다. 그건 아마도 올리버가 입 밖으로 꺼내지 말아야 했던 '또 다른' 틀린 답이었던 모양이다. 하지만 올리버는 이유를 알 수가 없었다. 초콜릿은 누나들과 여동생들에게 언제나 만병통치약이었는데. 올리버는 복도 벽 쪽으로 조금씩 물러서며 제시 누나에게 최대한 많은 공간을 주려 했다.

“난 그냥 아무 죄 없는 지나가던 나그네야.”

올리버는 항복하듯 양손을 위로 올리고 애원했다. 그러고는 곧장 자기 방으로 뛰어 들어가 방문을 닫아버렸다. 그리고 정확히 2초 뒤, 손만 겨우 통과할 정도로 방문을 빼꼼 열고는 〈잠자는 괴물을 깨우지 말지어다〉 카드를 걸고는 다시 문을 쾅 닫아 버렸다.

✖·✖·✖·✖

제시는 올리버의 닫힌 방문과 문에 걸린 우스꽝스런 카드를 노려보고는 한숨을 쉬었다. 사실 제시는 초콜릿 크루아상—한 개도 아니고 두 개—이 정말 간절했다. 하지만 캐슬먼 베이커리에는 다시 가고 싶지 않았다. 그냥 이불 덮고 침대에 누워 삶의 비참함을 느끼고 싶었다.

제시의 방문이 열리면서 평소 복장으로 갈아입은 이사와 알레그라가 나왔다. 제시는 안도의 한숨을 내쉬고 깊고 편안한 숨을 들이마셨다. 이제 정말 중요한 일에 다시 집중할 수 있을 것이다. 예를 들면 집 구하기 같은.

“제시, 우리 크루아상 먹으러 캐슬먼 베이커리에 갈 거야. 같이 가자.”

이사가 제안했다.

“으아악, 싫어!”

제시가 소리를 질렀다. 심장 박동이 하늘을 찌를 듯 빨라졌다.

“아니, 그러니까 간다고. 아니, 싫다고. 내 말은, 우리가 비더먼 아저씨에 대해서 좀 더 의논해야 하지 않을까?”

"몇 분이면 되는데 뭘. 초콜릿 성분이 얼마나 두뇌 활동에 좋은지 보여주는 연구가 있다고 늘 말하는 게 누군데 그래?"

이사가 지적했다.

"그리고 나 오늘 베니랑 얘기 좀 해야 해."

제시는 심장이 철렁했다. 오늘 아침에 베니랑 얘기를 나눈 뒤로는 캐슬먼 베이커리에 다시 돌아갈 수 없었다. 절대로. 특히 베니가 이사를 댄스파티에 데려가고 싶다는 얘기를 이사에게 말하지 않아서. 그리고 특히 이사는 댄스파티에 가고 싶어 하는 것 같아서. 그리고 특히 제시는 이사가 댄스파티에 가지 않았으면 해서.

"나 머리 아파. 그리고 과학전람회 준비해야 해. 윗몸 일으키기도 해야 하고. 알지? 몸을 날렵하게 유지하는 거."

입 닥쳐라, 입 닥치라고, 입 닥쳐! 제시는 속으로 스스로에게 외쳤다.

"제시, 너…… 괜찮아?"

이사가 뭐가 뭔지 모르겠다는 듯 눈썹을 찌푸리며 물었다. 제시는 더 이상 무슨 말이 튀어나올지 몰라 입을 다물고 고개만 끄덕였다.

"금방 올게. 그 다음에 비더먼 아저씨에 대해서 생각해 보자. 초콜릿 크루아상, 네 것도 하나 사 올게."

이사와 알레그라는 제시를 두고 나갔다. 이사는 제시를 여전히 아슬아슬하게 바라봤다. 제시는 웃어 보이려 했지만 이사의 걱정만 돋우는 부작용만 나았다. 제시는 방으로 뛰어 들어가 문을 닫고 침대 위에 그대로 쓰러졌다. 베개로 입을 막고는 낮고 고통스러운 신음을 토했다.

9

"그것 참 이상하단 말이야."

알레그라는 바깥으로 나와 캐슬먼 베이커리로 향하는 도중에 이사에게 말했다.

"내 생각엔 제시가 이사 가는 것 때문에 머리가 돈 것 같아."

제시는 이사 간다는 소식을 잘 받아들이지 못하고 있었다. 이사는 비더먼 아저씨를 한방에 설득할 새로운 계획을 생각해 내야 했다. 그것도 빨리.

알레그라는 어깨를 한 번 으쓱거리고는 아니나 다를까, 자기가 가장 좋아하는 주제, 8학년 댄스파티 얘기로 돌아갔다.

"우리 엄마가 그러는데, 칼슨이 나한테 꽃팔찌를 주는 거고, 나는 칼슨 정장에 꽂을 꽃을 주는 거래. 멋지지 않니? 꽃팔찌는 너무 예쁜 것 같아. 머리는 어떻게 할까? 그냥 풀까? 칼슨이 정장을 입고 올지 모르겠네. 그럼 진짜 로맨틱하겠지? 아유, 신나! 칼슨한테 너 데려갈 남자애 없냐고 물어볼까? 넌 예쁘니까 남자애 찾는 건 식은 죽 먹기일 거야. 나도 너처럼 커다란 갈색 눈에 긴 속눈썹이 있었으면 좋겠다. 오케스트라에서 네 옆에 앉는 남자애는 어때? 걔 이름이 뭐더라? 헨리? 그 애 빨강머리 근사하더라. 그 주근깨는 또 어떻고! 꺅, 귀여워!"

이사는 건성건성 고개를 끄덕였다. 캐슬먼 베이커리에 가는 건 즐거웠다. 베니에게 영화에 대해서도 묻고 비더먼 아저씨 일에 대해서도 조언을 구하고 싶었다. 알레그라도 좋은 친구지만 이사는 베니가 하던 일을 멈추고 정말 진심으로 자기 말에 귀 기울여 주는 것 같아서 좋았다.

이사와 알레그라는 모퉁이를 돌아서 베이커리로 난 길을 내려갔다. 베이커리에 들어서자 혼자 계산대에 있는 베니가 보였다.

"안녕, 베니?"

먼저 알레그라가 인사를 건넸다. 그런데 뒤이어 이사가 들어서자 베니는 얼굴을 찡그렸다. 이럴 리가 없어. 베니는 이사를 만나서 웃지 않은 적이 한 번도 없었다.

"안녕, 베니?"

이사가 인사를 하고 웃어 보였다. 그런데 베니의 얼굴은 정말 일그러져 있었다.

"너 괜찮아?"

"엉."

베니의 대답은 전혀 괜찮게 들리지 않았다.

"뭐 살래?"

이사는 침착하게 대응했다.

"어, 그래. 어디 보자…… 초콜릿 크루아상 두 개."

이사는 차분한 목소리를 유지하려고 안간힘을 썼다.

"잠깐, 세 개 할래. 하나는 제시 갖다 줄 거야."

베니의 찌푸린 눈살이 노골적으로 쏘아보는 눈으로 바뀌었다. 베니는 기름종이를 이용해 유리 진열장에서 초콜릿 크루아상을 꺼냈다. 그리고 빵을 흰 봉지에 떨어뜨리듯 담고 이사에게 툭 던졌다.

"이게 다야?"

베니가 퉁명스럽게 묻자 이사는 고개를 저은 뒤 뱀이라도 집는 것 처럼 빵 봉지를 가져간 후, 지폐를 주고 잔돈을 기다렸다. 베니는 이사의 손바닥에 동전 몇 개를 떨어뜨린 다음 이사의 왼쪽 귀 너머에 있는 한 점에 신경을 집중했다. 풀 뜯는 젖소의 사진이 걸려 있는 벽이었다.

"베니, 할 말이 있어."

이사는 빵 봉지를 움켜쥐며 말했다.

"이사, 그건 걱정하지 마, 알았지? 큰 문제 아니니까."

베니는 여전히 이사를 바라보지 않고 말했다.

"잠깐, 너 벌써 알고 있었어?"

어리둥절한 이사가 물었다.

"그래, 알아. 제시가 오늘 아침에 말해 줬어."

"아, 그래? 그런데 거기에 대해서 뭐 할 말 없어?"

베니는 드디어 이사의 눈을 바라봤다.

"내가 무슨 말을 하길 바라? 괜찮아. 난 상관없어."

이사는 뒤로 물러섰다. 빵 봉지를 얼마나 세게 쥐었던지 손가락 관절이 하얗게 변했다. 이사를 간다는 데 베니는 아무 상관없다는 거야?

"난 또 네가…… 아니, 아니다. 다음에 볼 수 있으면 봐."

이사는 침을 삼키며 말했다. 베니는 어깨를 한 번 으쓱하더니 뒤로 돌아서 가게 뒤쪽으로 통하는 문으로 사라져 버렸다. 이사는 베니가 가버린 빈 공간을 한동안 바라보며 그 자리에 그대로 서 있었다.

"이게 뭐지?"

베니와 이사가 대화를 나누는 내내 평소답지 않게 입을 다물고 있던 알레그라가 말했다.

"쟤 왜 저래?"

이사는 눈물이 차올라 눈이 타는 것 같았다. 이사는 알레그라의 질문에 대답하지 못했다.

✖·✖·✖·✖

올리버와 레이니는 계단 밑에 앉아서 엄마가 복도를 왔다 갔다 하며 상자를 쌓는 모습을 지켜보았다. 조지 워싱턴은 상자 더미 위로 뛰어오르고 판지에 발톱을 긁어대느라 신이 났다.

레이니는 흰 상자에 쓰인 낱말을 손가락으로 가리키며 올리버를 바라봤다.

"'기부'라고 써 있어."

올리버가 가르쳐 주었다. 엄마는 계단 아래로 쓰레기봉투를 던졌다.

"버릴 것들이야."

엄마가 티셔츠 소매로 이마를 닦으며 설명했다.

"근데 이건 내가 제일 좋아하는 티셔츠잖아!"

올리버가 검 끝으로 봉투 위에 놓인 파란 티셔츠를 가리키며 외쳤다.

"아들, 그건 네가 2년 전에 제일 좋아하는 티셔츠였지. 여기서 얼마나 고약한 냄새가 나는 줄 아니? 누구 줄 수도 없어. 기부가 웬 말이냐!"

올리버는 검을 떨어뜨리고 셔츠를 집어 들었다.

"이거 버리지 말라고!"

그러는 사이에 레이니는 흰 상자 중 하나의 뚜껑을 옆으로 밀어 버리고 상자 안을 뒤져서 낡은 꽃무늬 레깅스를 꺼낸 다음 허리 밴드를 머리에 둘러서 모자를 만들었다.

"레이니, 엄마한테 아무 말도 없이 상자에서 뭐 꺼내면 안 돼. 기부하려던 물건이 다 네 방에 가 있을까 봐 겁난다."

엄마가 레이니에게 경고했다.

"안녕?"

아빠가 뻐기듯 건들거리며 계단을 내려왔다. 점프 슈트 차림에 한 손에는 공구 상자를 든 채였다.

"내가 방금 뭐 고쳤게?"

"엄마가 내 티셔츠 버리려고 했어."

올리버는 아빠가 볼 수 있도록 옷을 들어 올리며 일렀다.

"엄마가 그걸 버릴 리가 있냐?"

아빠는 장난을 쳤다.

"그 셔츠를 입고 네가 처음으로 자유투를 날렸잖아. 그건 농구 부적이야. 내 점프 슈트가 만능 수리공 부적이듯이."

아빠와 올리버가 주먹을 부딪쳤다. 레이니는 깔깔대고 웃었고 엄마는 한심하다는 듯 눈알을 굴렸다.

"점프 슈트랑 티셔츠가 짐 싸기 부적이었으면 좋겠다. 두 사람한테 다 필요한 거거든."

조지 워싱턴이 야옹거리며 책이 든 상자를 발톱으로 긁어대자 엄마는 애꿎은 고양이를 탓했다.

"조지 워싱턴! 한 번만 더 상자 건드려 봐. 네 밥, 뒷마당에 있는 착한 새끼고양이들한테 줄 거니까."

"엄마, 이것 좀 봐!"

레이니가 흰색 기부 상자 옆에서 소리를 질렀다. 여전히 레깅스 모자를 쓴 채였다. 레깅스 다리가 레이니의 얼굴을 찰싹 찰싹 치고 있었다.

"이거 다 레코드판이야!"

엄마는 부엌 의자에 털썩 주저앉아서 한동안 꿀꺽꿀꺽 물만 삼켰다.

"위층 옷장 뒤쪽에서 찾았어. 이전 집주인이 가지고 있던 거 같아."

"조지 할머니 줄까? 축음기 있으니까."

엄마는 체념한 모양이었다.

"알았어. 위층에 가지고 올라가서 조지 할머니께 여쭤 봐. 재즈도 몇 장 있을 거야."

"재즈!"

레이니가 외쳤다. 그러더니 레코드를 한 묶음 들고 올리버에게 큰 소리로 속삭였다.

"재즈! 비거맨 아저씨 재즈 좋아해!"

올리버가 조용히 하라고 신호를 보낸 뒤 레코드판들을 빼어 들고는 레이니를 끌고 위층으로 올라갔다.

"너, 비더먼 아저씨가 재즈 좋아하는지 어떻게 알았어?"

올리버는 엄마가 말소리를 듣지 못할 장소로 오자 물었다.

"조지 할머니가 그랬어. 아주 옛날에 비더먼 아저씨가 매일 재즈를 들었다고. 아저씨한테 레코드판 한 장 줘도 될까?"

"정말이야? 진짜, 진짜, 진짜로?"

"그렇다니까."

레이니는 몸을 위아래로 까딱거리며 대답했다. 레이니와 올리버는 듀크 엘링턴이라고 이름이 쓰인 남자가 피아노를 치는 사진이 담긴 레코드판을 골랐다.

그리고 손을 꼭 붙잡고 살금살금 위층으로 올라갔다. 4층까지 계단을 밟을 때마다 휴 하는 숨소리가 들렸다. 두 사람은 4층에 선물을 두고 내려왔다.

10

다섯 명의 밴더비커가 아이들은 엄마가 통화하는 소리를 대담하게 엿듣고 있었다. 엄마의 목소리와 방을 서성이는 모습을 보아하니 뭔가 안 좋은 일이 벌어지고 있었다.

"죄송해요, 비더먼 씨. 시간이 너무 촉박해요."

엄마는 휴대전화에 대고 거의 소리를 지르다시피 했다.

"휴일이잖아요! 온 집 안에 상자가 널브러져 있다고요. 도저히 방법이 없어요."

아빠가 점프 슈트에 두 손을 비벼 닦으며 뒷마당에서 들어왔다. 그러고는 큰 소리로 물었다.

"얘들아, 거기서 뭐 하니?"

"쉬이이잇!"

아이들이 엄마에게서 시선을 떼지 않은 채 아빠에게 손사래를 쳤다.

"우리 엿듣고 있어요."

히아신스는 검지를 입술에 가져다 대고는 크게 속삭였다.

"비더먼 씨!"

엄마의 목소리가 한 옥타브 올라가 있었다.

"집이 엉망이라 지금 집을 보여 주시면 안 된다고요. 아시겠어요?"

침묵.

"네, 알겠어요. 그럼 안녕히 계세요."

엄마는 버튼을 누른 다음 휴대전화를 탁자 끝에 던져 놓았다.

아이들과 아빠는 엄마를 둘러싸고 설명을 기다렸다.

엄마는 관자놀이를 주무르며 입을 열었다.

"비더먼 씨가 진짜 부동산 중개업자를 고용해서 내일부터 사람들에게 집을 보여 주기 시작할 건가 봐. 사람들이 왔을 때 우리가 집에 없었으면 좋겠다고 단단히 이르지 뭐야."

"그거 불법 아냐?"

아빠는 충격을 받았다.

"아마 계약서에 그렇게 되어 있는데 우리가 모르고 서명을 했나 봐. 집주인이 계약 만료 30일 전부터 다음 사람에게 집을 보여 줄 권리가 있다는 거야."

"거짓말!"

올리버는 팔짱을 낀 채 내뱉었다.

"말도 안 돼!"

제시도 외쳤다.

"우리가 집을 비우면 새 입주자를 찾을 가능성이 엄청 커지잖아."

제시는 엄마와 아빠를 번갈아 보았다.

"집주인은 그렇게 할 수 있어. 그러지 않으면 좋았겠지만. 이런, 할 일이 너무 많아."

엄마는 바닥을 내려다보았다.

"비더먼 씨의 중개업자가 내일 아침 11시에 사람들을 데리고 온대."

아빠가 한숨을 쉬었다.

"여보, 당신이 짐 싸는 동안 내가 아이들 데리고 밖에 나가 있을까? 그리고 비더먼 씨에게 오늘 밤에 내가 얘기해 볼게."

엄마가 고개를 끄덕이고 난 뒤에 두 계단씩 밟아 위층으로 올라갔다. 조금 뒤 엄마가 더 많은 상자를 끄는 소리가 들렸다.

"정말 누가 여기 들어와서 산다고? 여긴 우리 집인데?"

히아신스가 걱정에 빠졌다.

"으악, 싫어!"

올리버가 벽을 발로 차자 흰 페인트 위에 검은 얼룩이 남았다.

"벽 차면 쓰냐?"

아빠가 안경을 들어 올리며 멍하니 말했다.

"내 방에 누가 들어가 잔다고?"

올리버는 다시 벽을 찼다.

"거긴 아마 벽장으로 다시 만들어버릴걸? 너 태어나기 전에 거기 벽장이었어."

제시가 말했다.

"하지만…… 왜…… 내 책들은……?"

올리버가 씩씩거렸다.

"우리한테 필요한 게 뭔 줄 알아?"

긴장된 분위기를 풀어 보려고 아빠가 물었다.

"명절 분위기야. 우리 크리스마스트리 사러 갈까?"

"그럼 뭐해? 며칠 뒤에 버릴 걸."

제시가 부엌 의자에 앉아 머리를 두 손에 파묻으며 말했다.

"맞아."

이사, 올리버, 히아신스도 기운 없이 고개를 끄덕였다. 하지만 레이니는 소리를 질렀다.

"크리스마스트리! 크리스마스트리! 나는 크리스마스트리 할래!"

그러자 일제히 레이니에게 시선이 쏠렸지만 레이니는 아랑곳하지 않았다.

"장식도 할 수 있고 불도 켜고. 나무 밑에는 선물을 두면 돼. 난 오너먼트 만들어야지."

레이니는 부엌 주위를 깡충깡충 뛰기 시작했다.

"파가니니한테는 커다란 당근을 선물로 줄 테야. 포장해서……."

아빠는 다른 아이들을 바라봤다.

"사러 갈래 말래?"

레이니는 파가니니에게 달려가서 늘어진 귀를 들어 올리고 자신의 대단한 크리스마스트리 계획을 속삭였다.

"좋아."

이사가 동의했다.

"알았어."

올리버도 끄덕였다.

"그럼 그러던지."

제시가 말했다.

"와!"

히아신스가 외쳤다.

아빠는 점프 슈트를 벗었다. 그러자 청바지와 티셔츠가 드러났다. 티셔츠에는 '당신이 고장 낸 걸 고치러 왔어요' 와 '애들아, 그게 크리스마스 정신이야!' 라고 쓰여 있었다.

아이들은 추위에 대비해 무장하고 밖으로 나갔다.

"안녕, 애들아?"

앤지가 자전거를 타고 가며 큰 소리로 인사했다.

"올리버, 너 나한테 농구 한 판 빚졌다."

"언제든 덤벼!"

올리버가 맞받아쳤다.

그때 3층 창문이 열리더니 조지 할머니가 나타났다.

"안녕, 애들아?"

"안녕하세요, 조지 할머니?"

아이들이 합창을 했다. 레이니는 3층을 향해 입맞춤을 날렸고, 조지 할머니도 똑같이 인사했다.

배기팬츠에 커다란 재킷을 입은 남자가 모조 다이아몬드가 박히고 끝에는 작은 치와와가 달린 가죽끈을 들고 헤드폰을 낀 채 건들건들 다가왔다.

"요우, 밴더비커들!"

남자는 아이들 한 사람 한 사람과 주먹을 맞부딪히며 인사를 했다.

"요우, 빅 지!"

아이들도 대꾸했다.

이사는 빅 지가 흔들거리는 치와와를 메고 가는 모습을 보며 제시에게 물었다.

"우리가 모르는 이웃이 없다는 거 알았어?"

제시가 고개를 끄덕였다.

"<세사미 스트리트>에 출연한 기분이야."

"비더먼 작전 아이디어가 떠오르는걸!"

이사가 중얼거렸다. 제시는 이사를 뜯어보며 더 물어보려고 했지만 올리버가 솔잎을 한가득 주워서 머리에 붓는 바람에 올리버를 잡으러 뛰어가 복수하고 말겠다는 생각만 가득했다.

크리스마스트리 시장까지는 20분 거리였는데, 할렘과 브롱크스를 잇는 다리를 건너가야 했다.

"우리의 크리스마스 전통이잖아"

아이들이 브롱크스가 아니라 모퉁이에 있는 시장에 가자고 하자 아빠는 추억에 잠긴 목소리로 말했다.

"내가 어렸을 때 너희 할아버지가 나를 데리고 다리를 건너서 리치 씨의 크리스마스트리를 사러 갔었지. 그땐 한 그루에 5달러밖에 안 했어."

그러자 아이들은 고개를 끄덕여 주었다. 벌써 귀가 닳도록 들었던 이야기였다. 제시는 모든 단어를 기억해서 아빠를 따라 말할 정도였다.

"어느 해에는 할아버지 팔이 부러졌지. 그래서 팔이 낫는 6주 동안 일을 못하셨어. 돈이 없으니 그해에는 트리도 선물도 없었단다. 어느 날 지하철을 타러 가는 도중에 리치 씨의 가게 옆을 지나쳤는데 아저씨가 왜 아직 트리를 사러오지 않느냐고 묻지 뭐니. 나는 아버지가 팔을 다치셨다고 말했지. 그랬더니 아저씨가 나더러 나무를 골라서 집으로 가져가라고 하시지 않겠니? 그 나무가 크리스마스를 밝혀 줄 거라고 하셨지. 아저씨 말씀이 옳았어."

아저씨의 화원은 농구 코트 바로 옆 모퉁이에 있었다. 리치 아저씨는 파란 플라스틱 상자에 앉아서 포터블 라디오를 듣고 있었다. 라디오에서는 아저씨가 들으려고 하는 차이코스프키 교향곡보다 지지직 하는 잡음이 훨씬 더 크게 흘러나왔다. 아저씨는 아이들이 들어서는 걸 보고 자리에서 벌떡 일어나 아빠에게 손을 내밀었다.

"안녕하셨어요, 리치 씨?"

아빠는 다른 한 손으로 리치 씨의 어깨를 두드리며 인사를 했다. 그리고 등에 맨 가방에서 짙은 황록색 스카프를 꺼냈다. 이사가 아빠를 도와 리치 씨의 목에 스카프를 둘렀다.

"밴더비커 부인이 보내신 거예요."

아빠가 설명을 덧붙였다.

리치 씨는 스카프 끝을 잡더니 만족한다는 듯 고개를 끄덕이며 신음 소리를 냈다.

레이니는 리치 씨의 손을 잡고 앞뒤로 흔들었다.

"아저씨 황금 이빨이 좋아요. 저도 있었으면 좋겠어요."

리치 씨는 레이니에게 답례로 짧게 웃어 보였다. 그러자 가로등 불빛에 금니가 반짝거렸다.

"저희 모두 큰 나무를 원해요."

제시가 높이를 설명하려고 팔을 치켜 올리며 리치 씨에게 말했다.

"나무가 정확히 6피트 4인치면 거실에 완벽하게 맞을 거예요."

"잎이 무성해야 해요. 바짝 여윈 건 싫어요."

올리버는 양팔을 벌리며 덧붙였다.

"꼭대기에 별을 꽂을 거니까 똑바르고 튼튼한 가지가 있는 나무여야 해요."

히아신스도 가만있지 않았다.

"완벽해야 해요."

이사가 외투의 단추들을 만지작거리며 가벼운 한숨을 쉬었다.

다른 아이들이 요구 사항을 불러대는 동안 레이니는 완벽한 크리스마스트리에 대한 다른 생각에 빠져 있었다. 레이니가 가장 비뚤어지고 못생기고 듬성듬성한 소나무를 고르기까지는 그리 오래 걸리지 않았다. 레이니는 아빠에게 자기가 고른 나무를 언니 오빠들 있는 데까지 끌고 가라며 막무가내였다.

레이니는 이사의 팔을 잡아당기며 관심을 끌려고 했다.

"바로 이거야!"

레이니는 자기가 고른 나무를 손가락으로 찌르며 당당하게 말했다.

"장난 하냐? 우리의 마지막 크리스마스트리를 꼭 불타 버린 산에서 방금 벤 듯한 나무로 하겠다는 거야?"

올리버가 투덜거렸다.

레이니는 발을 동동 구르고 입을 뿌루퉁 내밀며 떼를 썼다.

"난 이게 좋아! 이게 귀엽고 키도 커. 가지도 좋아. 난 이게 좋다고!"

나머지 아이들은 서로 바라봤다. 리치 씨는 뒷짐을 진 채 아이들이 결정을 내리기만 기다렸다.

이사가 먼저 입을 열었다.

"레이니가 지금까지 나무를 한 번도 골라본 적이 없잖아."

이사는 아무렴 어쩄느냐는 듯 어깨를 으쓱거렸다.

"그래, 그것도 이유가 되지."

올리버가 투덜거렸다.

"왜 이래? 우리는 키도 크고 무성하고 완벽한 대칭을 이루는 나무를 사야 해. 이 나무……."

제시가 이렇게 말하자 올리버가 레이니의 소나무를 가리켰다.

"이 나무는 우리의 조건을 하나도 충족시키지 않잖아."

"왜? 멋지게 생겼는데."

히아신스가 의리 있게 말했다. 뭐니 뭐니 해도 레이니와 룸메이트였으니까.

레이니가 활짝 웃자 입이 얼굴의 반은 차지했다. 올리버마저도 그런 웃음이라면 못생긴 소나무를 살 가치가 있다고 생각했다.

"난 크리스마스트리가 일종의 상징이라고 생각해."

제시도 동의했다.

"나는 이 나무도 살 거야."

레이니는 리치 씨의 플라스틱 의자 옆에 있는 작은 소나무를 거머쥐었다. 몸을 위아래로 움직이면서 아빠만 믿는 눈치였다.

"하여간 여자들이란. 도대체 만족을 모른다니까."

올리버가 중얼거렸다.

"레이니, 두 그루는 안 돼."

아빠가 레이니를 말렸다.

"내가 사려는 거 아니야. 바보 아빠! 조지 할머니랑 지트 할아버지 주려고!"

아빠는 리치 씨에게 나무를 다 포장해 달라고 하면서 지갑을 꺼냈다. 레이니는 작은 나무를 끌었고 아빠는 큰 나무를 어깨에 지었다. 가지와 잎이 부족해서 힘들지 않을 정도로 가벼웠다.

밴더비커 가족은 리치 씨에게 작별 인사를 했다. 아빠가 앞장서서 집으로 향했다. 브롱크스를 떠나 다시 다리로 접어들었을 때 언덕 위 성 너머로 해가 지고 있었다. 도시의 불빛이 강물에 비쳐 반짝였다. 예인선

한 척이 강을 따라 내려가면서 만든 물결이 물가 바위에 와서 부딪혔다.

10분 뒤 밴더비커 가족은 집이 있는 한적한 거리의 모퉁이를 돌았다. 스테인드글라스 창문이 있는 교회는 안에서 불빛이 새어나와 마치 천상의 교회처럼 보였다. 가로수들은 크리스마스를 위한 흰 전구로 감싸여 반짝이고 있었다. 크리스마스트리와 큰 촛대를 장식한 집들이 많았다.

붉은 브라운스톤이 1층과 2층, 3층의 따뜻한 불빛으로 가족을 맞아주었다. 꼭대기 층에는 평소대로 어둠이 떠나지 않았다. 올리버가 지하실 문을 여는데 엄마가 커다란 상자를 들고 아래로 내려왔다.

"왜 이렇게 일찍 와?"

엄마가 묻자 아빠는 거실 받침대에 나무를 고정하며 대답했다.

"떼쟁이 1등이 있었어."

엄마는 상자를 바닥에 내리고 나무를 살펴봤다.

"아무리 봐도 너희 나무를 잘못……."

그때 레이니가 끼어들며 경건한 목소리로 물었다.

"완벽하지 않아, 엄마?"

"글쎄."

엄마는 레이니 옆에 쭈그리고 앉았다. 레이니는 초라한 소나무를 황홀한 듯 바라보고 있었다.

"아주 예쁜데? 네가 직접 골랐어?"

엄마가 묻자 레이니는 자랑스럽게 대답했다.

"응. 내가 골랐어."

아빠는 크리스마스 장식이 담긴 상자를 복도 벽장 깊은 곳에서 찾아냈다. 상자를 둘러싼 아이들은 지난 11개월 동안 갇혀 있던 물건들을 보고 싶어 안달이 났다. 아빠가 상자 덮개를 열자 얼마나 오래 거기에 있었는지 모를 사탕막대들, 요셉이 빠진 예수 탄생 장식, 인형들과 함께 있는 눈사람, 그리고 아빠가 어렸을 때 받았고 올리버가 보물처럼 아끼는 나무 비행기가 나타났다.

아이들은 머지않아 소나무가 장식을 하는 데 유일무이한 장애가 된다는 것을 깨달았다. 가지가 많지 않아서 장식을 골고루 매달기가 힘들어서 가지마다 열 개 이상을 한꺼번에 달았다. 이사와 제시는 장식을 지휘했다. 큰 장식은 가지 뒤로 가도록, 작은 장식은 가지 끝에 매달도록 했다. 엄마는 쿠키를 내왔다. 장식을 하고 쿠키를 먹으면서 노래도 부르고 지난 크리스마스 추억을 되새기며 한 시간쯤 보내자 장식이 모두 끝났다. 아빠가 불을 켤 때 아이들 모두 숨을 죽였다.

트리는 당당하고 위엄 있었다. 브라운스톤의 벽들이 반짝거리는 크리스마스트리에 맞춰 심장 박동처럼 밝아졌다가 어두워져서 마치 숨을 쉬는 것 같았다.

아빠는 트리를 바라보며 브라운스톤에 들여와 정확한 자리에 세웠던 수많은 트리를 떠올렸다. 이 집에서 보내는 마지막 크리스마스라니 믿어지지가 않았다. 엄마는 트리를 바라보면서 걸음마를 배우던 무렵의 아이들을 생각했다. 그 많은 해를 거듭하면서 부부는 아이들이 장식을 만지지 못하도록 나무 위쪽만 장식했었다.

올리버는 트리를 감상한 다음에 쿠키가 담긴 쟁반을 바라봤다. 쿠키가 하나밖에 남지 않았다. 올리버는 누가 볼까 봐 재빨리 쿠키를 집었다. 벌써 네 개나 먹었지만 사랑과 쿠키는 많으면 많을수록 좋았다. 레이니는 트리를 바라보며 얼마나 완벽한 나무인가 감탄했다. 세상에서 가장 완벽한 나무였다. 히아신스는 트리를 바라보았지만 생각은 다른데 가 있었다. 사실 히아신스는 브라운스톤으로, 자기 방으로 이사를 들어올 낯선 이방인에 대해 생각하고 있었다. 이사는 실눈을 뜨고 트리를 바라보며 새로운 비더먼 작전을 꾸미고 있었고, 제시는 이사를 바라보며 베니 얘기를 해 줄까 말까 고민했다.

11

그날 밤, 아이들이 모두 자러 들어갔을 때 엄마와 아빠는 두꺼운 세라믹 머그잔을 들고 거실 소파에 앉아 있었다. 잔에는 카옌고추와 계피로 향을 돋운 핫초콜릿이 가득 들었다. 두 사람은 반짝이는 크리스마스트리를 감상하며 평화로운 저녁 시간을 만끽했다.

"올리버가 네 살이었을 때 기억나? 장난감 기차 세트 때문에 크리스마스에 새벽같이 일어나서 아래층으로 달려 내려왔잖아. 나무 밑에 있는 선물이란 선물은 다 뜯고."

아빠의 말에 엄마는 하하 웃었다.

"제시랑 이사가 얼마나 화를 냈게? 제시 얼굴이 그렇게 빨개지는 건 처음 봤지."

"그래서 걔네들이 일주일 내내 올리버한테 말 한마디 안 했잖아. 근데 올리버가 눈치를 못 챈 것 같더라고. 기차놀이에 정신이 빠져서 말이야."

엄마는 핫초콜릿을 홀짝 마셨다.

"난 항상 이 집에 평생 산 것 같은 느낌이었어. 여기 살 때 제시랑 이사가 졸업 파티를 갈 줄 알았는데. 이사 가기 전에 저기서 걔들 사진을 찍어 둬야겠어."

엄마는 문 옆에 난 커다란 전망창 쪽을 가리켰다. 아빠는 눈살을 찌푸렸다.

"우리 딸들은 대학 졸업할 때까지 남자 금지야!"

엄마는 아빠 말을 무시했다.

"난 애들이 전부 이 집에서 어린 시절을 보낼 줄 알았어. 당신이 보냈던 어린 시절처럼 말이야. 이웃들과 이름을 알 정도로 잘 지내고 도움도 받고."

"부동산 시장이 바뀌어서 큰일이야. 우리 가족 모두 살 수 있을 만큼 넓고 거기에다가 관리인을 원하는 아파트는 더 이상 시장에 나오질 않아."

아빠가 말하자 엄마가 물었다.

"그럼 관리인을 구하지 않는 월세는 어때? 그 정도는 우리가 감당할 수 있잖아?"

아빠는 고개를 저었다.

"우리가 가진 돈을 살펴봤는데 도저히 금액을 맞출 수가 없어. 관리자로 일하면서 받는 할인 금액이 꽤 커."

"내가 가게를 더 열심히 하면 되지. 케이크랑 마카롱을 더 많이 만들어서."

엄마는 벌써 하루에 몇 시간이나 더 일할 수 있는지 속으로 계산하느라 바빴다. 아빠는 이번에도 고개를 저었다.

"여보, 지금 우리 둘 다 얼마나 열심히 일하는데."

엄마는 아빠의 어깨에 고개를 기댔다.

"이 말은 꺼내기 싫었는데…… 오텐빌은 어때? 우리 부모님이 틀림없이 좋아하실 거야."

오랜 침묵이 흐른 뒤에 아빠가 기운 없이 말했다.

"글쎄…… 난 여기서 평생 살았는걸. 우리 직장도 여기 있고. 또 이사와 반 허슨 선생님은 어쩌고? 애들 학교는? 지트 할아버지와 조지 할머니는?"

아빠는 머그잔만 노려보았다.

"다른 곳에서 처음부터 다시 시작하는 건 정말 힘들 거야."

"알아. 하지만 우리한테 남은 건 그 길뿐인걸."

"아이들한테 말해 줘야 할까?"

엄마는 잠시 머뭇거렸다.

"조금 더 기다려 보자. 며칠 맘 편히 지내게 해준 다음에 얘기하자고."

엄마는 잠시 멈췄다가 다시 말을 이었다.

"만약 얘기를 해야 할 일이 정말 생긴다면."

엄마와 아빠는 자신들의 생각과 대화에 깊이 빠져서 네 발이 위층 복도에서 후다닥 지나가는 소리를 듣지 못했다.

✖·✖·✖·✖

"오빠, 일어나! 당장!"

"아, 뭐야? 누가 됐든 꺼져라!"

"나야, 히아신스. 일어나. 비상 회의야."

올리버는 한쪽 눈만 떴다. 침대 위로 올라온 히아신스의 얼굴이 코앞에 있었다. 레이니는 담요를 손에 쥐고 엄지를 입에 문 채 서 있었다. 따뜻한 침대에서 끌려 나와 제시와 이사의 방으로 들어가고 나서야 올리버는 잠이 완전히 깼다.

“언니, 일어나!”

히아신스는 이사의 한쪽 눈꺼풀을 들어 올리며 외쳤다.

“악! 뭐야?”

이사는 히아신스의 손을 물리치고 벽 쪽으로 돌아누웠다. 그때 갑자기 제시가 침대 밖으로 튀어나왔다.

“무슨 일이야? 불이야? 이사 바이올린 집어 와!”

“불난 거 아니야. 그런데 히아신스가 비상사태래.”

올리버는 카펫 위에 주저앉아 제시의 침대에 몸을 기대며 말했다. 올리버의 눈꺼풀이 감겼다.

“아주 중요한 일이야.”

히아신스는 이렇게 말하며 창문으로 다가가 두꺼운 커튼을 열어젖혔다. 그러자 가로등 불빛이 이사의 침대에 내려가 꽂혔다.

“레이니를 침대로 데려가다가 아래층에서 엄마랑 아빠가 나누는 얘기를 들었어.”

“커튼 닫아라.”

제시가 투덜거렸다.

“잠깐!”

아이들을 향해 돌아누운 이사가 강한 불빛에 실눈을 뜨며 말했다.

"레이니가 자다가 화장실 갈 때, 네가 데려다줘?"

"괴물 때문이야."

레이니는 아무렇지도 않은 듯 말했다.

"괴물은 입도 커다랗고 이빨도 날카로워. 나 혼자 화장실 가면 날 잡아먹을 거야."

레이니는 자기 입을 벌려 우걱우걱 먹는 시늉을 했다. 그러자 제시가 중얼거렸다.

"메모: 화장실에 야간등을 설치하자."

"야간등이 도움이 될 것 같아?"

히아신스가 끼어들었다. 레이니가 고개를 가로젓자 곱슬머리가 춤을 췄다.

"안 착한 괴물이 야간등으로 날 속여."

그러자 제시가 다시 중얼거렸다.

"메모: 레이니와 절대 한 방 쓰지 말 것."

그러는 사이에 올리버는 다시 잠이 들었다가 카펫 위로 미끄러져 쓰러지면서 깼다. 히아신스는 큰 한숨을 쉬었다.

"레이니랑 내가 들은 말에 관심 있는 분?"

제시는 두 동생을 바라보았다. 레이니는 믿을 만한 통역사가 아니었고, 히아신스는 약간 낫지만 그래도 이야기가 뒤죽박죽 될 때가 있었다.

"엄마가 졸업 파티에 대해서 말했어. 그런데 졸업 파티가 뭐야?"

레이니가 물었다.

"역시 내 의심이 맞았군. 믿을 수 없는 목격자야."

제시가 중얼거렸다.

"졸업 파티는 수백만 년 뒤의 일이야."

제시는 이렇게 말해 주고 다시 침대에 누워 이불을 머리 위까지 덮었다.

"잠깐!"

히아신스가 발을 구르며 외쳤다.

"엄마랑 아빠가 이 동네에서 이사하지 않을 생각이야. 우린 할렘을 떠난다고!"

이사, 제시, 올리버는 갑자기 생생해 보였다.

"말도 안 돼!"

올리버는 화가 난 듯 말했다.

"아빠가 같은 동네로 이사 간다고 했거든? 내가 똑똑히 기억해."

히아신스는 고개를 저었다.

"우리 오텐빌로 이사 가야 한대."

"뭐? 뭔 소리야? 오텐빌이라니? 여기서 네 시간이나 떨어져 있잖아. 그것도 자동차로 네 시간! 우린 차도 없는데?"

제시가 말했다.

"차는 비싸요."

레이니가 지적했다.

"아빠는 이 동네 아파트가 너무 비싸대."

히아신스가 덧붙였다. 이사는 팔짱을 끼며 말했다.

"우리 오텐빌에 살면 난 어떻게 반 허슨 선생님한테 레슨 받지?"

"선생님 새로 구해야지. 오텐빌에 사는 선생님으로."

제시가 대꾸했다.

"안 돼. 반 허슨 선생님 말고는 수업 안 받을 거야."

"조지 할머니와 지트 할아버지는 우리랑 같이 가?"

레이니가 물었다.

"아마 아닐걸. 그분들은 뉴욕에 가족이 있어. 오텐빌에는 아는 사람도 없을 거야."

"우리 알잖아. 우린 가족이라고."

레이니가 뿌루퉁하게 말했다.

"어쩌면 더 나쁠 수도 있어. 시베리아나 뭐 그런 데로 갈 수도 있다고."

이사가 겁을 줬다.

"지미 엘은 오텐빌에 안 사는데. 시베리아에도."

올리버가 대꾸했다.

"프란츠는 다람쥐 많아서 오텐빌 싫어하는데."

히아신스가 아이들에게 말했다.

"멍청이 비더먼!"

제시가 소리를 질렀다. 그러자 올리버가 나섰다.

"아저씨를 설득할 시간이 아직 사흘 남았어."

"사흘 가지고 안 될걸? 내가 지난번 작전을 망치는 바람에 성공 확

률이 바닥으로 떨어졌으니까."

제시가 반성하듯 말했다. 그러자 히아신스가 말했다.

"아니, 작전을 망친 건 나야."

그러자 이사가 끼어들었다.

"그건 중요하지 않아. 아직 해결할 수 있어. 크리스마스트리 사러 가면서 나한테 아주 좋은 아이디어가 떠올랐거든. 들어 볼래?"

아이들은 아이디어를 설명하는 이사에게로 몸을 기울였다. 밤이 깊어갔지만 아이들은 계획을 짜느라 한 시간 더 방에 머물렀다. 라디에이터가 아이들이 춥지 않게 따뜻한 기운을 불어넣어 주었다.

12월 22일 일요일

12

"우리 집을 지킬 수 있게 도와주세요!"

"탄원서에 서명해 주세요. 1분밖에 안 걸려요."

"존슨 아저씨, 탄원서에 서명 좀 해 주세요."

"워커 아주머니, 저희 이사 가야 한다는 얘기 들으셨어요? 탄원서에 서명해 주실래요?"

간밤에 뉴욕 시에 한파가 몰아닥치면서 수은주가 영하 1도까지 내려갔다. 밴더비커 아이들은 두꺼운 겨울 외투, 두툼한 목도리, 모자, 귀마개, 여러 켤레의 양말로 단단히 무장했다. 제시가 레이니에게 하도 많이 옷을 입혀서 이사는 레이니가 넘어지면 일어나지도 못하겠다고 생각했다. 아이들은 141번가의 집 앞 보도에서 클립보드와 펜을 들고 유세를 시작했다. 전날 밤에 탄원서를 많이 만들어 두었다.

인터넷이 끊기자 엄마와 아빠는 새집을 검색하려고 도서관에 가서 컴퓨터를 썼다. 엄마 아빠가 도서관에 가 있는 동안에 부동산 중개업자가 집을 보여 주러 들를 테니 조지 할머니와 지트 할아버지 댁에 있으라고 이른 뒤였다. 아이들은 그것이 탄원서 서명을 모을 절호의 기회라고 여겼다. 조지 할머니와 지트 할아버지는 무릎에 담요로 덮고 브라

우리 집을 지켜 주세요!

141번가의 브라운스톤을 소유한 비더먼 씨가
밴더비커 가족과 집 계약을 갱신하지 않겠다고 합니다.
밴더비커 가족이 없다면
할렘의 행복과 삶의 질은 나락으로 떨어질 거예요.

그렇게 되지 않도록 도와주세요!

아래 서명한 이는 비더먼 씨에게 밴더비커 가족의 집 계약을
갱신해줄 것을 엄숙히 요청하는 바입니다.

이름	주소	서명

운스톤 입구 앞에 앉아 아이들을 지켜보았다.

아이들은 일정한 간격을 두고 거리에 서서 이웃들과 지나가는 행인들을 붙잡고 자신들의 처지를 설명했다. 사람들을 설득하는 데에는 아이들 각자 나름대로의 방식이 있었다.

"여기에 서명해 주세요! 엄청 꽉 안아 드릴게요."

레이니는 지나가는 사람 모두에게 이렇게 말했다. (서명을 가장 많이 받는 사람도 레이니였다.)

히아신스는 강아지를 산책시키는 사람들에게 가장 인기가 많았다. 그날 일찍 강아지가 먹는 피넛버터 쿠키를 가득 구워서 할로윈 사탕처럼 나눠 줬기 때문이다.

올리버는 아침 일찍 지미 엘에게 전화를 걸어서 친구들을 모아 도와달라고 부탁했다. 지금은 농구를 같이 하는 친구들이 찾아와서 자기 이름 말고도 여러 이름과 주소를 지어내서 빈칸을 채워 나가고 있다.

"돈 올드 덕은 너무 빤하잖아."

올리버는 지미 엘의 어깨 너머로 보며 지적했다.

"로댕. 요건 잘 지었지?"

지미 엘이 목도리에 가려 숨 막히는 소리로 말했다. 그러고 나서는 가짜 이름을 지우고 '마이크 엘 조던'이라고 썼다.

이사는 길 아래 모퉁이에서 캐슬먼 부인과 대화 중이었다.

"너희들이 이사 가는 줄은 정말 몰랐구나."

캐슬먼 부인은 장갑 낀 손으로 이사의 어깨를 두드리며 위로를 건넸다.

"베니는 알았어요."

클립보드에 매단 펜을 줄에 꼬아대던 이사는 캐슬먼 부인의 눈을 피하며 말했다.

"어제 제시가 알려 줬대요."

"그 녀석이 왜 나한테 말을 안 했는지 모르겠네. 어쩐지 어제부터 신경이 날카로워 보이더라."

캐슬먼 부인은 비밀이라도 털어놓는 듯 이사에게 몸을 기울였다.

"사춘기가 다 그런 거지 뭐. 여기 들르라고 말할게. 네가 있으면 베니 기분이 좋아지니까."

이사는 캐슬먼 부인의 팔을 덥석 잡고 말렸다.

"안 돼요! 아니, 괜찮다고요. 제가 베이커리로 직접 찾아갈게요."

전날 베니와 이상하게 만났던 게 아직 마음에 걸렸다. 이사는 캐슬먼 부인에게 클립보드를 내밀었다.

"그냥 탄원서에 서명해 주실래요? 비더먼 아저씨에게 계속 살 수 있게 해달라고 설득해 보려고요."

그런데 캐슬먼 부인이 클립보드를 툭 떨어뜨리는 바람에 땅에 부딪히는 소리가 울려 퍼졌다.

이사는 몸을 숙여 클립보드를 집었다. 그런데 몸을 다시 일으켜 보니 캐슬먼 부인의 얼굴이 하얗게 질려 있었다.

"아줌마, 괜찮으세요?"

"그래, 그래. 미안. 비더먼 씨가 너희 집주인이라는 걸 깜빡했구나."

캐슬먼 부인의 손이 벌벌 떨렸다.

"비더먼 아저씨를 아세요?"

"아니…… 그래, 근데 잘 몰라."

이런 답만 남기고 캐슬먼 부인은 그대로 뒤로 돌아서 가 버렸다.

"아주머니?"

이사가 부르자 캐슬먼 부인은 마치 악몽이라도 쫓듯이 팔을 흔들어 인사했다. 이사는 그녀가 사라지는 모습을 지켜본 뒤 길을 건너 제시에게 갔다.

"안녕하세요, 바울로스 씨?"

제시가 외쳤다.

"저희 탄원서에 서명해 주세요. 저기, 얘! 검은 모자 쓴 아이! 나 본 거 다 알아. 너 이름이 뭐야? 프레디?"

제시가 잠시 쉬며 양손에 입김을 불고 비비는 동안 이사가 다가와 몸을 기울이고 속삭였다.

"방금 캐슬먼 아줌마 만났는데, 내 생각엔 아줌마가 비더먼 아저씨를 아는 것 같아."

"진짜? 그러고 보니 어제 내가 비더먼 아저씨 얘기를 하니까 아줌마가 그때도 이상하게 굴었어."

제시와 이사가 더 얘기를 나눌 사이도 없이 한 무리의 이웃이 거리로 나왔다. 쌍둥이 자매는 서명을 받느라 다시 바빠졌다. 밴더비커 아이들은 한 시간 쯤 서명을 받고 다시 브라운스톤에 모였다. 아이들이 무사히 돌아오니 조지 할머니와 지트 할아버지가 안심한 표정이었다.

"뼈가 얼었어!"

조지 할머니는 대문으로 향하며 말했다.

"레이니, 우리 아가, 안에 들어가서 파가니니랑 몸 좀 녹이자."

⧗·⧗·⧗·⧗

레이니는 판다가 그려진 재킷을 입고 파가니니를 든 다음에 작은 크리스마스트리를 움켜쥐고 3층으로 향했다. 조지 할머니와 지트 할아버지의 문 앞에서 잠시 숨을 고른 다음에 4층을 올려다봤다. 4층은 아주 어두웠고 아주 으스스했다. 레이니는 파가니니의 캐리어를 도어 매트 위에 내려놓고 작은 나무를 끌고 계단을 올랐다. 계단은 무너질 듯 불안정했다. 레이니가 4층에 올라가지 못하도록 브라운스톤이 방해하는 걸까? 레이니는 나무를 더 꽉 움켜쥐고 계단 세 개를 더 올라갔다. 비즐먼 아저씨가 그 누구보다도 가장 크리스마스트리를 필요로 한다는 걸 알았기 때문이다. 4층에 도착한 레이니는 문 앞에 나무를 똑바로 세우고 서둘러 3층으로 내려와서 문을 두드렸다.

문이 금세 열렸다.

"우리 예쁜 판다-레이니!"

조지 할머니가 판다 복장에 푹 잠긴 작은 친구를 반기며 외쳤다.

판다-레이니는 안으로 들어가 지트 할아버지에게 인사를 했고, 그 사이에 조지 할머니는 분주하게 당근을 잘게 썰고 여러 잔에 우유를 채우고 라즈베리 잼 쿠키를 쟁반에 담았다. 판다-레이니가 파가니니의 캐리어를 열자 파가니니가 밖으로 폴짝 뛰어나와 코를 열심히 씰룩거리면서 뭔가 먹을 것이 없는지 사방을 살폈다. 그리고 먹이를 발견하지 못하자 책장 옆으로 가서 카펫에 구멍을 파기 시작했다.

지트 할아버지가 작은 당근 조각을 손에 쥐고 명령했다.

"파가니니, 이리 오렴!"

파가니니는 맛있는 당근을 줬던 할아버지의 목소리를 알아듣고 껑충 뛰어왔다. 할아버지는 상으로 당근도 주고 귀도 부드럽게 쓰다듬었다. 그 다음에는 판다-레이니가 명령을 내릴 차례였다. 파가니니는 레이니가 어디에 있든 항상 말을 들었다. 마지막 테스트로 판다-레이니는 조지 할머니와 지트 할아버지의 침실로 들어가서 외쳤다.

"이리 와!"

그러자 파가니니는 거실을 지그재그로 뛰어서 나무 바닥을 미끄러진 다음에 아주 쉽게 판다-레이니를 찾았다.

"파가니니가 해냈어요!"

판다-레이니가 팔짝팔짝 뛰며 소리를 질렀다. 야생화를 가득 꽂아 두었던 화병이 쓰러질 정도였다. 지트 할아버지도 껄껄껄 웃었다.

지트 할아버지와 판다-레이니는 몇 분 더 파가니니에게 명령을 내렸고 그것으로 마지막 훈련을 마쳤다. 판다-레이니는 집으로 돌아가는 길에 비더먼 아저씨의 문 앞을 훔쳐보지 않을 수 없었다.

크리스마스트리가 사라졌다.

13

올리버는 곤경에 처했다. 크리스마스트리 밑에는 선물 꾸러미가 이미 잔뜩 쌓여 있었다. 올리버는 자기 선물이 있는지 확인하는 것이 아니었다. 아직 선물을 준비하지 못했는데 자신의 이름이 쓰인 꾸러미가 많았기 때문에 당황했다. 그러고 보니 외동아들인 지미 엘은 준비해야 할 선물이 두 개밖에 없는데 올리버는 여섯 개나 생각을 해야 했다. 이건 정말 억울했다.

올리버는 선물을 잘 고르지 못했다. 아무리 곰곰이 고민해도 소용없었다. 더 많이 생각하면 생각할수록 선물을 받는 사람은 마음에 들어하지 않았다.

올리버는 책장에서 스테고사우르스 모양의 저금통을 내렸다. 그리고 밑의 뚜껑을 열고 저금통을 흔들었더니 동전이 책상 위로 툭툭 떨어졌다. 올리버는 저금통을 기울여서 손가락을 안으로 밀어 넣어 돌렸다. 하지만 꺼낸 거라곤 1달러 지폐 두 장이 고작이었다. 올리버는 책상 위에 놓은 2달러 36센트를 내려다보며 그동안 용돈을 다 어디에 썼는지 생각했다. 그러고 보니 손수레를 끌고 동네를 돌아다니는 매니에게서 하루도 빠짐없이 학교 끝나고 추로스를 사 먹었다. 밀가루 반죽을 튀겨 계피 설탕을 묻힌 추로스는 아무리 먹어도 질리지 않았다.

올리버는 크리스마스 선물을 사기에는 2달러 36센트가 어림없다는 것을 알고 있었다.

다행히 오후 2시가 거의 다 되었다. 지미 엘과 주말마다 하는 농구 게임에 가야 하니 선물 때문에 더 이상 골머리를 앓지 않아도 되었다. 올리버가 아래층으로 내려와 보니 히아신스가 실과 바늘 두 개로 뭔가를 만들고 있었다. 히아신스는 올리버가 다가오는 걸 보더니 재빨리 프란츠의 꼬리 밑으로 바느질거리를 감췄다. 올리버는 히아신스를 노려봤다. 크리스마스 선물을 또 만든단 말이야?

맞은편에서는 엄마가 쿠키를 굽고 있었다. 엄마가 흘러내린 머리카락을 치우자 밀가루가 머리에 하얗게 묻어났다.

"올리버, 나 좀 도와줄래? 오늘 쿠키를 다 만들어야 내일 베이킹 용기를 다 정리할 수 있거든. 밀가루 두 봉지 가져다줘."

올리버는 찬장 문을 열고 20파운드짜리 밀가루 봉투를 엄마에게 끌어다 줬다.

"나 농구장 가."

올리버는 엄마가 다시 도와달라고 할까 봐 선수를 쳤다.

"길 건너기 전에 양쪽 다 잘 봐, 알았지? 한 시간 안에 돌아와야 돼."

"눼, 눼."

"올리버, 한 시간이야."

"그럼 휴대전화 사 주던지. 그럼 걱정 안 해도 되잖아."

올리버가 초콜릿 칩스 한 움큼을 입에 쑤셔 넣으며 대꾸했다.

"걱정하는 거 아니야. 그리고 휴대전화는 절대 안 돼. 엄마도 대학 졸업할 때까지 휴대전화 없이 잘 살았어."

"그건 그때 휴대전화가 없었으니까 그랬지!"

엄마가 쿠키 반죽 덩어리로 겨누자 올리버는 몸을 재빨리 돌려 문으로 달려갔다.

"참, 올리버! 나중에 네 도움이 필요하니까 늦지 마."

엄마가 말하자 올리버는 얼굴을 찌푸렸다. 올리버는 파란색 패딩 점퍼를 걸치고 누나들이랑 여동생들이 더럽고 고린내난다고 진절머리 치는 운동화 끈을 묶었다. 그러고 나서 브라운스톤을 나와 공원을 향해 걸었다. 구역 끝에 이르니 침례교 성가대가 크리스마스 캐럴을 연습하고 있었다. 열린 교회 문으로 흘러나온 우렁찬 목소리가 온 동네에 울려 퍼졌다.

교회에서 길을 건너면 공원이 나온다. 공원에는 농구장 두 개, 놀이터, 의자들이 나란히 설치된 잔디밭 길이 있다. 여름이면 동네 노인들이 의자에 앉아 더러운 자전거를 타고 지나가는 10대들에게 꾸지람을 날린다. 말끔하게 면도를 한 아이스크림 장수는 카트를 끌고 종을 울리면서 공원을 거닐고, 그 바로 옆에서는 망고 아줌마가 껍질을 깐 망고 조각을 나무꽂이에 끼워 판다. 올리버가 밝은 주황색 살을 자랑하는 망고를 한입 깨물면 끈적끈적한 망고 즙이 턱을 타고 내려와 옷을 적신다.

겨울에는 개를 키우는 사람, 그리고 하루라도 농구를 하지 않으면 발에 가시가 돋는다는 올리버와 친구들이 아니면 아무도 공원에 오지 않는다.

"안녕, 올리버?"

지미 엘과 학교 친구 몇 명이 이미 농구장을 누비고 있었다. 올리버가 뛰어들자 지미 엘이 공을 패스했다. 올리버는 드리블을 하다가 슛을 날리려 했지만 앤지에게 블로킹을 당하고 말았다.

앤지는 몸을 돌리며 올리버에게 '내가 최고인데 어쩌겠니' 하는 미소를 날렸다. 올리버는 3학년에서 가장 농구를 잘하고 어쩌면 4학년까지 다 합쳐도 1등일지 모른다. 아이들 사이에는 밀치기, 블로킹, 드리블, 페이크가 난무했다. 올리버는 평소만큼 여유 있게 공을 다루지는 못했지만 적어도 다른 일에 신경을 쓰지 않아도 되었다. 하지만 곧 바람이 세게 불고 추위에 손이 얼기 시작했다. 올리버는 엄마가 나타나서 친구들 앞에서 망신 주기 전에 집에 가야한다는 걸 깨달았다.

"오늘 실력 발휘를 못하네?"

지미 엘이 올리버에게 말했다.

"골칫거리가 생겼어."

올리버는 앤지가 팔꿈치로 한 방 먹인 배를 문지르며 대꾸했다.

"그래? 근데 어제 우리 가고 나서 서명 많이 받았어?"

올리버는 고개를 끄덕이고는 마지못해 주위에 모인 친구들에게 크리스마스 선물에 대해 털어놓았다.

"이사한테 줄 선물도 필요해?"

지미 엘이 눈썹을 치켜올리며 물었다.

"누나들이랑 여동생들이랑 전부."

올리버 학년의 남학생은 모두 이사와 제시에게 반했다. 토 나오게.

"액세서리는 어때? 여자애들은 그런 거 좋아해."

앤지가 완벽한 레이업 슛을 날리고 뛰어와 말했다.

"넌 액세서리 안 하잖아."

올리버가 지적했다.

"농구하는 데 방해되니까."

앤지는 검지로 농구공을 돌리면서 어깨를 으쓱했다.

올리버는 머리를 흔들었다.

"누나들, 여동생들에 부모님 선물까지 사야 하는데 2달러 36센트밖에 없어!"

친구들은 충격이었다. 상황의 심각성을 깨달은 아이들은 주머니와 가방에서 뭐라도 도움을 줄 수 있는 걸 찾기 시작했다. 올리버의 손바닥에 물건들이 모이기 시작했다. 페퍼민트 향 막대 껌 한 개. 20센트와 3페니. 포장이 낡아빠진 사탕 한 개. 끝에 분홍색 지우개가 달린 연두색 샤프펜슬 한 개. 육각형 모양의 금색 플라스틱 구슬 끈 한 개. 은색 반점이 있는 돌멩이 한 개. 크기와 너비가 다 다른 빨간 고무줄 세 개. 손 세정제 작은 병 한 개.

"와, 고마워, 얘들아!"

행복한 올리버가 인사를 했다.

“크리스마스 문제는 다 해결되었습니다!”

지미 엘이 선언했다.

물건을 모두 패딩 주머니에 넣으며 올리버도 동의했다. 올리버는 친구들에게 하이파이브로 인사를 하고 집으로 향했다.

‘다시는 얻지 못할 내 최고의 친구들이야. 비더먼 작전이 꼭 성공해야 해.’

⁂

‘오늘 오후에 베니에 대해서 이사에게 말해야지.’

제시는 스스로에게 다짐했다. 이사는 ‘지하 감옥’에서 바이올린을 연습 중이다. 제시는 지하실로 내려가는 계단 위에 앉아서 새로운 실험 장비를 앞에 펼쳐 두었다. 오늘은 레몬, 못, 철사, 동전을 가지고 과일 건전지를 만들 생각이다.

이사는 바이올린을 켜다 말고 제시를 쳐다봤다.

“너 그러다가 감전된다.”

“그럴 일은 없어.”

제시는 실눈을 뜨고 주위에 펼쳐진 준비물들을 바라보더니 말했다.

“설마 감전될까?”

하지만 다시 걱정 없다는 듯 어깨를 으쓱했다.

“내려와서 하지 그래?”

이사가 묻자 제시는 철사를 만지작거리며 대답했다.

"날 내려가게 만들 가능성은 1퍼센트밖에 안 된다는 거 알지?"

"내려오라니까, 제시. 곧 이사 갈지도 모르는데 너랑 여길 같이 나누고 싶어."

잠시 침묵이 흘렀다.

"제발! 너 나 사랑하지 않아?"

이사가 전략을 바꿔 제시를 꾀었다.

제시는 한숨을 쉬더니 자리에서 일어났다.

"알았어. 하지만 네가 나의 가장 큰 약점을 알아냈기 때문이야."

제시는 마치 괴물이 거대한 촉수로 머리를 잡고 혈관으로 독을 쏘기라도 할 것처럼 주위를 두리번거리며 계단을 천천히 내려왔다. 하지만 바닥에 내려왔을 때에는 두려움이 연기처럼 사라졌다.

"이사, 우와, 아주 멋진 곳이로구나!"

"네가 좋아할 줄 알았어."

이사는 흡족해하며 제시가 지하 연습실을 천천히 둘러보는 모습을 지켜봤다. 제시는 벽에 걸린 두껍고 오돌토돌한 카펫을 손가락으로 훑었고 위에 달린 정교한 은색 별 장식을 조심스럽게 만져 보았다. 그러는 사이에 이사는 부드러운 베토벤 협주곡을 연주하기 시작했다. 바이올린 소리가 연습실에 울려 퍼지자 제시는 음악이 심장을 찌르는 것 같았다. 이사가 했던 연주 중 최고였다. 제시는 그것이 이사가 몇 년 동안 지하에서 연습하며 만들어낸 자기만의 음이라는 걸 알았다. 지하실 공간의 모든 것이 삶과 행복, 그리고 아름다움을 뿜어냈다.

연주가 끝나자 이사는 활을 현에서 뗐다. 제시는 이사가 지상으로 다시 발을 디디는 모습을 지켜봤다.

"여기서 들으니까 소리가 대단하지?"

이사가 활짝 웃으며 제시에게 물었다.

"완전 황홀했어."

제시도 동의했다. 이사는 케이스에 있던 부드러운 손수건을 꺼내서 바이올린을 닦기 시작했다. 사실 이사의 바이올린은 반 허슨 선생님 것이다. 선생님 가문에서 대대로 전해 내려온, 4분의 3으로 축소된 크기의 바이올린이다. 선생님은 아무도 이 바이올린을 쓰지 않자 이사가 더 큰 바이올린을 켤 때까지 쓰라면서 빌려주었다. 처음에 이사는 바이올린을 만지려고도 하지 않았다. 수백 년이나 된 나무였기 때문이다. 하지만 바이올린을 켰을 때 소리가 아주 깨끗하고 사랑스러워서 이제는 손에서 떼지 못할 정도이다.

"여기 내려오는 데 6년이나 걸리다니. 미안해, 이사."

제시는 부끄럽다며 사과했다. 이사는 고개를 갸우뚱했다.

"왜 미안해? 네가 지금이라도 내려와서 난 기쁜걸."

"여기를 아름다운 곳으로 만드느라 고생했잖아. 그런데 난 돕지도 못했어. 이제는 아주 완벽한 연습실이 되었고 네 바이올린 소리도 아주 사랑스러워."

"무슨 소리야? 내가 널 필요로 할 때 넌 언제나 내 옆에 있어 줬어. 중요할 때 언제나 날 지지해 줬고. 제퍼슨 재미슨 기억해?"

제시는 제퍼슨 재미슨을 똑똑히 기억했다. 지난봄에 제시는 학교 연주회에서 솔로 바이올린을 맡은 이사를 보러 갔다. 이사가 무대에 올라가기 전에 잘하라고 격려해 주려고 무대 뒤쪽으로 가려는데, 그때 제퍼슨 재미슨의 말을 엿들었다. 제퍼슨은 8학년 남학생 중 가장 멋진 아이였다. 항상 야구 점퍼를 입고 다녔고 어디를 가든지 여학생 무리를 달고 다녔다.

"연주회 진짜 지루해."

제퍼슨은 숱 적은 긴 머리에 귀가 작은 어떤 여자아이에게 말을 하고 있었다.

"졸리는 음악은 빼 버리면 좋겠어. 특히 그 바이올린 연주자. 그 애 이름이 뭐였더라? 이지였나?"

제시는 충격을 받었다. 졸린 음악이라니! 드보르작의 〈유모레스크〉는 최고로 아름다운 곡이다. 어떻게 제퍼슨은 드보르작과 이사를 감히 욕할 수 있지? 제시는 커튼 뒤로 이사가 불안감에 휩싸여 멍하니 있는 모습을 보았다. 그러자 욱하는 성격에 온몸의 피가 끓었다.

제시는 웃고 떠드는 제퍼슨과 여자아이에게 다가가 제퍼슨의 어깨를 쳤다. 퍽!

제퍼슨은 뒤로 휘청거렸다.

"이게 무슨……."

"다시 한번 말해 봐, 멍청한 자식!"

제시는 제퍼슨의 야구 점퍼에 새겨진 대문자 A의 중앙을 검지로 콕

콕 찌르면서 엄포를 놓았다. 제퍼슨은 커다란 검은 테 안경을 쓰고 덥수룩한 머리를 한 말라빠진 6학년 여자애가 얼굴을 들이밀자 깜짝 놀라 말문이 막혀 버렸다.

"내 쌍둥이 자매에 대해서 얘기하는 모양인데, 걔는 전 세계 6학년 아이들 중에서 바이올린을 가장 잘 켜는 아이라고. 아마 풋볼 시합에서 머리를 너무 많이 부딪힌 모양인데, 아무리 좋은 음악을 들어보지 못한 사람이라도 드보르작의 <유머레스크>는 천재의 작품이라는 걸 알 거든. 쯧쯧, 그 바보 같은 점퍼나 걸치고 으스대며 다니지 말고 교양 좀 쌓지 그래?"

제시는 돌아서며 제퍼슨의 갈비뼈를 두꺼운 과학 책이 가득 든 백팩으로 툭 치고 걸어갔다. 그리고 주저앉은 제퍼슨을 어깨 너머로 돌아보며 말했다.

"참, 잊어버릴 뻔 했네. 내 쌍둥이 자매 연주가 끝나거든 박수 치는 게 좋을 거야. 내가 지켜볼 테니."

바로 그때 이사가 무대 위로 올라갔다. 스포트라이트가 비춰진 곳으로 걸어 들어가자 이사는 자신감을 되찾고 환히 빛났다. 이사는 바이올린을 들어올리고 <유모레스크>를 난생 처음 연주하는 것처럼 켜기 시작했다. 그 순간은 정말이지 잊을 수 없는 감동의 시간이었다.

제시는 기억에서 되돌아와 이사를 바라봤다. 이사는 어느새 제시 옆 카펫 바닥에 앉아 있었다.

"그 연주가 끝났을 때 네 기분이 어땠는지 물어보지 못했어."

이사가 말했다.

"아주 놀라웠어. 미친 소리 같겠지만 네 힘이 연주하는 내게 전해지는 것 같았어. 제시, 넌 날 강하게 만들어. 가끔은 내가 무슨 생각을 하는지 네가 다 아는 것 같아."

제시는 대꾸하지 않았다. 자기가 좋은 자매라는 걸 믿고 싶었다. 하지만 베니 때문에 느끼는 죄책감은 떨칠 수 없었다.

"이사, 있잖아……."

"브라운스톤이 우리를 사랑할까?"

이사가 뜬금없는 질문을 던졌다. 자기 생각에 빠져서 제시의 말을 듣지 못한 것이다.

"나는 그렇다고 생각해."

이사는 눈물을 훔치며 말했다. 제시는 침을 꿀꺽 삼켰다. 분명 베니 이야기를 할 때가 아니었다.

이사는 카펫 중앙에 등을 대고 누웠다.

"내 옆에 누워 봐. 너한테 보여 줄 게 있어."

제시는 이사 바로 옆에 누웠다.

"들어 봐."

"뭘 들……."

"쉬잇! 그냥 들어."

제시는 머리 위에서 반짝거리는 별들을 보았다. 브라운스톤의 파이프들이 물을 집 안과 밖으로 옮기면서 가볍게 그르렁 소리를 냈다. 제시는 똑같은 리듬으로 숨을 들이쉬었다가 내쉬었다. 몇 분이 지나자 제시는 브라운스톤의 심장 박동 소리를 듣는 것 같았다. 그리고 만약 이 사의 지하 연습실을 지킬 수 있다면 베니 일도 괜찮을 거라는 걸, 그냥, 알았다.

14

농구 게임을 마친 올리버는 반죽을 하고 있는 엄마를 피해 부엌을 몰래 지나쳤다. 믹서 돌아가는 소리 때문에 엄마에게 들키지 않고 계단을 달려 올라갈 수 있었다.

방으로 돌아온 올리버는 히아신스가 만들어준 토시를 끼고 친구들이 기부해 준 선물을 꺼냈다. 빨간 고무줄은 레이니를 줘야겠다고 생각한 찰나에 엄마가 부엌에서 부르는 소리가 들렸다. 올리버는 책상 서랍에 선물들을 쏟아 붓고 이어폰을 꼈다. 엄마가 자기를 찾으러 계단을 오르기에는 지쳤기를 바라면서.

올리버의 바람은 이루어지지 않았다. 20초 뒤에 엄마가 문을 열고 고개를 내밀었다.

"안녕? 심부름 좀 해 줄래?"

올리버는 한숨을 쉬며 이어폰을 뺐다.

"있잖아……."

"고마워."

엄마가 선수를 치며 엄청나게 큰 쿠키 바구니를 건넸다. 투명한 셀로판지로 포장된 쿠키에는 작은 이름표들이 의기양양하게 달려 있었다.

엄마는 해마다 할렘가 주민을 모두 먹일 만큼 많은 크리스마스 쿠키를 굽는다. 그리고 올리버가 기억하는 한 엄마는 매번 올리버에게 쿠키 나눠 주는 임무를 맡겼다.

"엄마, 다른 사람이 하면 안 돼? 쿠키를 나눠 줄 때마다 할아버지 할머니들이 안으로 들어오라고 해서 손자들 사진도 보여 주고 수다가 끝이 없다고."

"그래서 내가 더 열심히 하라고 넣어 둔 게 있지."

엄마는 바구니에 손을 집어넣더니 '올리버'라고 쓴 봉지를 꺼냈다. 봉지에는 올리버가 가장 좋아하는 쿠키 여섯 종류가 들어 있었다. 엄마는 역시 뭔가 간절하게 바라는 게 있을 때 치사해진다.

"됐지? 이제 가 봐."

엄마는 올리버의 방을 나가면서 책장에서 책을 한 아름 들어서 아침에 가져다 둔 빈 이사 상자에 넣었다. 올리버는 엄마가 복도에 점점 쌓여가는 이사 상자를 요리조리 피해 가는 발소리를 들었다. 올리버는 상자에서 책을 꺼내 다시 책장에 정리하고 탄원서 몇 장을 뒷주머니에 챙겨 넣은 다음 거대한 바구니를 들고 비틀거리며 계단을 내려왔다.

"재미있는 시간 보내, 아들!"

엄마가 부엌에서 외쳤다. 올리버는 끙 하고 신음 소리를 냈다. 바깥의 추위에 단단히 채비를 하고 밖으로 나갔다.

첫 번째 목표는 스마일리 씨이다. 두 집 건너에 사는 건물 관리인인 스마일리 씨는 앤지의 아빠이자 올리버의 농구 친구였다. 올리버는 스마일리 씨의 집을 향해 비틀거리며 걸었다.

"올리버!"

올리버가 올려다보자 앤지가 집 현관 앞에서 손을 흔들고 있었다. 앤지는 영양처럼 가볍게 계단을 뛰어 내려와 올리버 앞에 섰다. 올리버는 바구니를 내려놓고 친구들과 정한 농구 인사법으로 앤지와 인사를 나눴다. 손등으로 치기, 손가락으로 가리키기, 고개를 어깨 너머로 돌리며 "오, 예!"라고 끝내기 등 복잡한 인사법이다.

특별한 의식이 끝나자 올리버는 바구니에서 엄마가 앤지 가족을 위해 만든 쿠키 봉지를 꺼냈다.

"네 거야."

앤지는 봉지를 받더니 재빨리 열어서 크리스마스트리처럼 장식한 설탕 쿠키를 꺼냈다. 쿠키를 한입 베어 문 앤지는 눈을 감았다.

"너희 엄마 쿠키가 세상에서 제일 맛있어!"

앤지는 쿠키를 꿀꺽 삼키더니 다시 말했다.

"너랑 같이 쿠키 배달 가도 돼? 그럼 탄원서 서명도 많이 받을 수 있을 거야."

올리버가 고개를 끄덕였다.

"좋아. 참, 비더먼 아저씨가 벌써 새로 이사 올 사람에게 집 보여 주기 시작했다고 말했던가?"

앤지의 눈이 휘둥그레졌다.

"세입자 권리 뭐 그런 거 있지 않아? 아빠는 항상 세입자, 집주인 권리에 대해서 말하거든.”

“엄마가 그러는데, 우리 집 계약은 연말까지만 유효한 거래. 비더먼 아저씨가 원하면 다른 사람에게 집을 세 놓을 수 있대.”

“아저씨를 막을 방법이 있을 텐데. 아저씨를 인터넷에서 검색해 본다더니 아직 안 했어?”

앤지는 손가락으로 턱을 톡톡 치며 궁리했다. 올리버는 고개를 끄덕였다.

“했지. 그런데 인터넷이 끊겼어.”

“들어가자. 아빠가 컴퓨터 쓰게 해 줄 거야.”

올리버가 대답할 사이도 없이 앤지는 바구니 한쪽 귀를 잡았다. 아이들은 앤지의 집으로 바구니를 들고 들어갔다.

앤지의 아빠 스마일리 씨는 안락의자에 앉아 책장 모서리가 잔뜩 접힌 사전을 뒤적이고 있었다.

“밴더비커 가족의 크리스마스 쿠키냐?”

스마일리 씨가 의자에서 일어나며 물었다. 앤지는 아빠를 째려보며 주머니에서 쿠키 봉지를 꺼내 건넸다.

“다 먹으면 안 돼. 올리버랑 나는 컴퓨터 쓸 거야.”

앤지는 외투를 벗어 빈 의자에 던져 놓고 거실 탁자에 앉았다. 낡은 모니터가 윙윙거리며 돌아가는 하드드라이브에 연결되어 있었다.

올리버도 앤지 옆에 앉았다.

“이거 작동은 하는 거야? 백만 년은 된 거 같다.”

"제시가 봐준 뒤부터는 훨씬 잘 돌아가."

앤지는 인터넷 검색 엔진 창을 열며 말했다. 확실히 화면이 재빨리 떴다.

올리버가 제시의 컴퓨터 다루는 능력에 감탄할 사이도 없이 앤지가 검색창에 '비더먼'이라고 쳤다. 성만 알고 이름은 몰랐기 때문에 하는 수 없이 '할렘'과 '시립 대학교'를 덧붙였다. 앤지가 마우스를 내리면서 페이지를 훑더니 다시 키보드를 두드렸다. 모니터를 바라보던 올리버의 눈이 게슴츠레해졌다. 이러다간 백만 년은 걸릴 것 같았다. 몇 시간이나 흘렀다고 느낀 올리버가 결국 나섰다.

"앤지, 쿠키를 배달하지 않으면 엄마가 날 죽이려 들 거야. 나랑 같이 갈 거야?"

앤지는 검색 결과를 한 번 더 살펴보고 마지못해 창을 닫았다.

"오늘 밤에 더 찾아볼게."

앤지는 외투를 집어 들며 거실로 들어갔다.

"아빠, 올리버가 쿠키 배달하는 것 좀 도와주고 올게."

아이들을 보고 깜짝 놀란 스마일리 씨는 빈 셀로판 쿠키 봉지를 소파 쿠션 뒤에 서둘러 쑤셔 넣고는 죄라도 지은 듯 웃어 보였다. 쿠키 부스러기가 수염에 잔뜩 붙어 있었다.

앤지가 아빠에게 손가락질을 하며 물었다.

"아빠! 다 먹었어?"

스마일리 씨가 당황하며 어깨를 으쓱하자 앤지가 화가 난 듯 눈을 굴리며 쿵쾅쿵쾅 문으로 걸어갔다.

올리버는 앤지를 뒤따라가며 자기 쿠키 봉지와 앤지를 번갈아 봤다. 지상 최고의 희생이라도 하는 양 올리버는 앤지의 어깨를 두드렸다. 앤지가 돌아보자 올리버는 봉지를 내밀었다.

"내 거 좀 먹어. 난 괜찮아."

올리버는 거짓말을 했다.

"진짜? 고마워!"

앤지는 곧바로 쿠키 하나를 집더니(올리버가 바로 다음에 먹으려고 아껴뒀던 걸!) 끝부분부터 야금야금 먹기 시작했다. 올리버는 한숨을 쉬었다. 때로는 착해지는 게 너무 힘들어!

두 시간 뒤, 쿠키 배달이 모두 끝났다. 올리버는 앤지가 같이 다녀 줘서 고마웠다. 사람들에게 말할 때 예의를 지키라고 잔소리 하는 건 귀찮았지만 앤지는 똑같은 아기 사진을 열 장씩 봐도 아무렇지 않다는 듯 웃고 떠들었다.

쿠키 바구니는 봉지 한 개를 빼고 텅텅 비었고 탄원서 서명도 스무 장이나 받았다. 올리버는 자기 봉지에서 쿠키 하나를 더 꺼내 앤지에게 주었다. 이제 쿠키가 두 개밖에 남지 않았다. 올리버는 빨리 집에 돌아가 방에 혼자 앉아 나니아 연대기의 『캐스피언 왕자』를 읽으며 그 쿠키 두 개를 그 누구의 방해도 받지 않고 먹고 싶었다.

"나한테 탄원서 몇 장 더 주면 내가 서명 받아 올게."

앤지가 제안했다. 올리버는 탄원서 몇 장을 준 다음에 집으로 돌아왔다. 아직 배달해야 할 봉지가 한 개 남아 있었다. 브라운스톤에 사는 누군가에게 배달해야 할 봉지였다. 이름표에는 엄마의 소용돌이치는 듯한 손 글씨로 '비더먼 씨'라고 쓰여 있었다. 올리버는 4층까지 터벅터벅 올라갔다. 4층에 도착하자 비더먼 아저씨네 집 문 손잡이에 쓰레기봉투가 걸려 있는게 보였다. 올리버는 아빠가 일주일에 몇 번 올라와서 쓰레기를 가져다가 건물의 쓰레기통에 버린다는 걸 알고 있었다. 올리버는 쓰레기봉투를 빼고 그 대신 문 앞에 쿠키 봉지를 남겼다.

계단을 반쯤 내려왔을 때 올리버는 뒤돌아서서 4층으로 다시 올라갔다. 그리고 남겨둔 쿠키 봉지 옆에 자기 쿠키 봉지를 내려놓았다.

"화해의 선물이에요."

올리버가 큰 소리로 말했다. 문 저편에서 아무런 대답도 들려오지 않자—기대도 하지 않았지만—올리버는 다시 계단을 내려갔다. 그런데 쓰레기봉투 안에서 뭔가 명랑하게 쨍그랑거렸다. 올리버는 거리낌 없이 봉투 안을 들여다봤다.

냉동식품 찌꺼기 사이로 부서진 레코드판 조각들이 흩어져 있었다.

⁂

"비더먼 작전에 이틀밖에 안 남았어. 전략을 바꿔야 해."

이사가 방에 있는 화이트보드 옆에 서서 말했다.

"우리 탄원서 서명도 많이 모았잖아."

제시가 길에서 주운 낡은 컴퓨터 하드드라이브를 만지작거리며 말했다.

“그걸로는 부족해.”

이사는 화이트보드에 도표를 그리고 중앙에 큰 글씨로 ‘비더먼 작전 전략’이라고 썼다. 그리고 바깥으로 향한 화살표를 두 개 그렸다. 화살표 한 개는 ‘탄원서’를 가리켰고, 나머지 화살 끝에 ‘친절한 행동’이라고 썼다.

올리버는 이사가 덧붙인 단어를 보고 불만의 신음 소리를 냈다.

“우리 집에 들어오려는 사람들을 방해하면 어때? 그게 훨씬 재미있잖아.”

“우리가 비더먼 아저씨를 위해 했던 착한 일들이 계획처럼 잘되질 않았어. 탄원서도 그럴지 몰라. 비더먼 아저씨에게 이웃들이 우리를 좋아한다고 보여 줄 수는 있어도 그 이유는 말해 줄 수 없으니까. 아저씨가 우릴 좋아하도록 만들어야 해. 아저씨의 마음에 호소해야 한다고.”

이사의 말에 제시가 지적했다.

“기술적으로 말하자면 감정을 일으키는 건 뇌지 심장이 아니야.”

“내 말이 뭔 말인지 너 알잖아.”

이사가 대꾸하자 머리카락을 빨아먹던 레이니가 끼어들었다.

“아저씨 문 앞에 내가 작은 크리스마스트리 놔뒀는데.”

“머리카락 먹지 마. 아무튼 잘했어.”

이사가 칭찬했다.

“그리고 나랑 올리버랑 레코드판도 줬어. 재즈 레코드.”

레이니가 덧붙이자 이사는 눈썹을 추켜올렸다.

"재즈 레코드? 멋진걸!"

"조지 할머니가 그러는데 아저씨가 재즈를 좋아한대."

레이니가 신이 나서 말했다.

"왜 조지 할머니한테 비더먼 아저씨에 대해서 물어볼 생각을 못했을까? 아저씨보다 더 오래 사셨잖아."

제시가 말했다. 올리버는 비더먼 아저씨의 쓰레기봉투에서 발견한 걸 차마 말하지 못했다. 그러면 레이니의 마음이 무너질 것이다. 그래서 주제를 바꿨다.

"앤지가 인터넷에서 아저씨에 대해서 찾아본대. 그런데 아직 아무것도 못 찾았나 봐."

"나 왜 그랬지?"

제시가 혼잣말을 했다.

"앤지에게 컴퓨터를 쓸 수 있는지 물어봤어야 했는데!"

"나도 아저씨에게 내 쿠키 몇 개를 드렸어."

올리버가 말하자 모두 조용해졌다.

"네가…… 뭘 했다고?"

이사가 작은 소리로 물었다.

"쿠키. 엄마가 만들어준 쿠키."

제시가 더듬거리며 확인했다.

"비더먼 아저씨한테 쿠키를 드렸다고? 네 쿠키를? 그것도 원해서? 협박당해서가 아니고?"

"와!"

히아신스가 놀라며 소리를 지르자 프란츠의 꼬리가 바닥을 쿵 쳤다.

"네가 자랑스러워. 큰 희생했네."

이사가 칭찬을 하자 올리버의 얼굴이 벌게졌다.

"빨리 회의나 할 수 없을까?"

그러자 히아신스가 나섰다.

"존스 아저씨가 그러는데, 비더먼 아저씨가 시립 대학교에서 예술을 가르쳤…… 아니, 예술이 아니고……."

히아신스는 고개를 갸우뚱거리고 생각했다.

"예술의 역사!"

"시립 대학교 예술사학과에 연락하자. 아저씨를 아는 사람이 있을지도 몰라."

이사가 제안하자 올리버는 딴청을 부렸다.

"으윽…… 예술사라니 따분하구만."

"로맨틱하게 들리는데? 빈센트 반 고흐나 파블로 피카소가 살았던 시절에 대해서 배우면 정말 재미있을 것 같아."

이사가 말하자 제시도 거들었다.

"네가 예술가의 영혼을 가져서 그래. 뇌의 오른쪽 반구가 많이 발달해서."

"그렇지? 우리처럼 평범한 뇌를 가진 사람한테는 지겨워."

올리버가 끼어들었다.

"나는 예술을 좋아해. 예술을 배우고 싶어."

레이니도 가만있지 않았다.

"편들어 줘서 고마워."

이사가 고상한 척 대답했다. 그러고는 다시 한번 아이들에게 상기시켰다.

"내일 다시 탄원서에 서명 받아야 해. 그때 예술사학과에 가 보자."

그러자 레이니의 얼굴이 밝아졌다.

"그럼 우리 성에 가는 거야?"

밴더비커 가족이 마지막으로 성에 갔던 건 학교가 대학교와 함께 연봄 박람회 때였다. 그때 레이니는 두 살밖에 안 돼서 아무것도 기억하지 못한다.

"나는 좋아."

제시가 말했다.

"좋아. 그럼 우리가 옆길로 새기 전에 내가 하려고 했던 말이 뭐냐 하면……."

이사는 올리버를 바라봤다.

"비더먼 아저씨에게 우리가 어떤 아이들인지 더 잘 보여 줄 필요가 있다는 거야."

"어떻게?"

올리버가 영 믿지 못하겠다는 듯이 물었다.

"난 더는 내 쿠키 양보 못해. 만약 그런 걸 말하는 거면."

"우리가 얼마나 멋진 애들인지 보여 줘서 아저씨를 놀라게 해야 해. 그럼 우리만큼 괜찮은 사람이 여기 살 수 있다는 건 상상도 못하겠지."

이사가 정리를 해 줬다.

"난 안아 주기를 잘해."

레이니가 자랑스럽게 말했다.

"지금은 비더먼 아저씨를 안아 준다는 건 무리야."

제시가 말했다.

"브라운스톤 그림을 그려서 드리는 건 어떨까? 네 살짜리 아이가 그린 그림을 싫어하는 사람은 없으니까."

이사가 제안하자 레이니가 이마를 찌푸렸다.

"나 네 살이랑 9개월 됐어."

레이니가 이사의 말을 정정했다.

"나도 아저씨한테 뭔가 과학적인 걸 만들어 드릴 수 있어."

제시도 거들었다.

"난 시를 쓸래."

올리버의 말에 다들 눈길을 돌렸다.

"뭐? 멋지잖아, 시, 안 그래?"

올리버가 변호하듯 말했다.

"나는 바이올린 연주해서 시디로 만들어 드릴까 봐. 6년 전보다 지금은 훨씬 잘하니까."

이사가 제안했다. 히아신스는 프란츠에게 벼룩이 있는지 살핀다는 핑

계로 고개를 계속 떨어뜨리고 있었다.

"서명을 더 많이 받아야 한다는 것도 잊지 마. 할 일이 많지만 우린 할 수 있어!"

이사가 아이들을 격려했다. 올리버는 <스타워즈>의 주제가를 흥얼거리기 시작했다.

올리버가 목소리를 높이는 동안 이사가 말했다.

"넘지 못할 장애물은 없어."

제시도 거들었다.

"끝까지 못된 아저씨도 없고."

올리버가 주제가의 클라이맥스에 다다르자 히아신스가 외쳤다.

"우리는 밴더비커들이니까!"

이사가 선언했다.

"우리 집을 지키자!"

12월 23일 월요일

15

“우리 나갔다 올게.”

제시가 엄마에게 알리자 부엌에서 엄마가 외쳤다.

“레이니도 데려가.”

그러더니 절망의 목소리로 애원했다.

“부탁해.”

부엌 바닥 곳곳에 엄마의 베이킹 용기들이 이사 상자에 들어갈 순서를 기다리며 널브러져 있었다. 레이니는 용기를 하나씩 들고 검사해서 자기 ‘가게’를 꾸미면서 재미있는 시간을 보내고 있었다. 레이니는 메모지 한 무더기와 1센트에서 30만 달러까지 가격이 붙은 물건들을 찾았다.

그때 아빠가 욕실에서 나왔다. 페인트를 새로 칠하기 전에 벽을 매끄럽게 만드는 작업 중이었다.

“지금까지 발명된 베이킹 용기는 다 가지고 있는 것 같은데?”

아빠는 부엌의 잡동사니를 바라보며 말했다. 그리고 끝부분이 바늘처럼 생긴 금속 집게를 집어 들었다.

“이건 뭐에 쓰는 물건인고?”

"반죽에 장식하는 거야. 레이니 주지 마."

엄마는 아빠가 레이니에게 집게를 건네는 걸 보고 말렸다.

"와, 신기하다!"

레이니는 집게를 꽉 쥐며 외쳤다.

"이사, 제발! 엄마 좀 살려 주라."

엄마가 애원하자 이사가 레이니에게서 집게를 빼앗아 엄마에게 돌려주며 말했다.

"레이니, 산책하러 가자."

옷걸이에서 외투를 빼서 레이니에게 건네면서 이사는 노래하듯 말했다.

"시립 대학교에 가볼 수 있어."

"와, 성에 가는 거야?"

레이니는 팔짝팔짝 뛰면서 엄마를 바라봤다.

"엄마, 우리가 알아보고 올게."

이사가 간신히 말을 끊었다.

"공주님이 거기 사는지."

"알았어."

엄마는 장식 집게를 포장하면서 대답했다. "조심해!"라든가 "한 시간 뒤에는 돌아와!"라는 말은 하지 않아서 아이들은 엄마의 신경이 온통 다른 데 쏠려 있음을 확인했다.

북동풍이 찬 공기와 만나 전날보다 20도는 더 내려간 듯한 날씨였다. 세찬 바람이 불면 아이들은 방패로 바람을 막듯 등을 돌려 걸었다. 모자는 꾹 눌러쓰고 목도리를 칭칭 돌려 감아 모두 입을 다물었다.

캐슬먼 베이커리에서 풍겨오는 냄새 때문에 그 앞을 지날 때 유혹을 느꼈지만 아이들 모두 따뜻한 가게 안으로 몸을 피하고 싶은 욕망을 이기는 게 숭고한 일이라고 느꼈다. 아이들은 길을 건너 학교 정문에 도착했다. 높은 철문이 하늘을 찌를 듯이 솟아 있었고, 철문 뒤로는 캠퍼스가 펼쳐졌다. 건물들을 가까이에서 보니 브라운스톤 지붕에서 볼 때보다 훨씬 위압적이었다. 공주님이 사는 성이라기보다 폭풍우가 몰아치는 날 성난 바다에 우뚝 선 깎아지른 절벽 위에 있는 건물처럼 보였다.

밴더비커 아이들은 서로를 바라봤다. 이사가 어깨를 한 번 으쓱하더니 철문 안으로 발을 들여놓았다. 아이들도 이사를 따라 자갈길을 밟으며 캠퍼스로 들어갔다. 넓은 잔디밭에 도착했을 때 아이들은 캠퍼스가 거의 텅 빈 것을 알았다.

“엥? 학생들은 다 어디 갔어?”

올리버가 물었다.

“학교가 문을 닫았나 봐.”

히아신스가 대답했다.

“아직 수업 중인가 봐. 어딘가에 지도가 있을 텐데…….”

이사가 짐짓 용감한 목소리로 말했다.

“찾았다! 여기 지도 있어.”

레이니가 안내판으로 이사의 손을 잡아끌었다.

"한 과가 전부 화학만 배우나 봐. 멋진데!"

제시는 지도를 보고 있는 레이니의 어깨 위로 감탄하듯 말했다.

"음악과도 마찬가지야."

이사도 말했다.

"나도 좀 보자."

올리버가 끼어들었다.

"아, 여기다! 예술사학과. 고설즈관이야."

이사는 지도에서 눈을 들어 캠퍼스를 살폈다.

"저기다!"

고설즈관이 브라운스톤의 지붕에서 바라보던 커다란 성이 아니어서 레이니는 실망했다. 건물은 성의 축소판처럼 생겼다. 아이들이 건물 앞에 도착했을 때 올리버와 제시가 낑낑대며 육중한 나무문을 열었고 벌어진 틈 사이로 아이들이 들어갔다. 검은 강철 경첩이 끼이익 소리를 냈다. 건물 안의 온도는 바깥보다 약간 높은 정도였고, 내부는 대리석 꽂, 대리석 벽, 그리고 그 앞에 있는 긴 대리석 계단까지 대부분 차가운 대리석으로 마감되어 있었다.

아이들은 거의 10분 동안 안을 서성거렸다. 그러다가 체크무늬 플란넬 파자마 바지를 입고 실내화처럼 생긴 부츠를 신은 학생에게로 달려갔다.

"예술사학과가 어딘지 아세요?"

제시가 묻자 학생은 손가락으로 방향을 가리켰다.

"2층 더 올라가서 오른쪽에 있어. 사무실은 복도 끝에 있고."

학생이 가르쳐 준 대로 올라갔더니 복도 끝에 정말 사무실이 나왔고 '예술사'라고 매직으로 쓴 종이가 붙어 있었다. 안에는 희끗희끗한 머리를 단단히 올려 묶은 한 아주머니가 방을 거의 차지할 정도로 큰 나무 책상 뒤에 앉아 있었다. 책상 한쪽에는 종이가 가득한 얕은 상자가 놓여 있었고 맞은편에는 데스크톱 컴퓨터가 있었다.

"그냥 박스에 넣어 주세요."

아주머니는 컴퓨터에서 눈도 떼지 않은 채 키보드를 치며 단조로운 목소리로 명령했다. 탁탁탁.

이사가 사무실 안으로 들어섰다.

"방해해서 죄송한데요. 잠깐 여쭤볼 게 있어요."

"과제물 제출 마감이 아슬아슬하잖아요. 지금 박스에 넣든지 아니면 낙제예요."

아주머니가 대답했다. 탁탁탁.

"저는 수업 듣는 학생이 아니고요. 이곳에서 일했던 분에 대해 알아볼 게 있어서요."

이사가 말하자 드디어 아주머니가 눈을 들어 밴더비커가의 아이들을 바라봤다.

"여긴 아이들이 들어오면 안 되는 곳인데."

아주머니는 가는 눈썹을 위로 치켜뜨며 말했다.

"질문이 있다니까요. 혹시 비더먼 아저씨라고 아시나요? 이 학과에서 일하셨다고 들었는데요."

이사가 천천히 다시 말했다.

"모르겠는데."

아주머니는 컴퓨터로 다시 눈을 돌리며 대꾸했다.

"그런데 부모님은 어디 계시니?"

탁탁탁.

"저희는 이웃에 대한 조사를 하고 있어요."

제시가 사무실로 들어서며 끼어들었다. 그 뒤를 올리버, 히아신스, 레이니가 뒤따랐다.

"여기서 6년 전에 일하셨을 거예요."

"모르겠다고 말했잖니. 나는 여기서 일한 지 5년 됐거든."

탁탁탁.

"그럼 6년이나 7년 정도 일한 분 중에 아실 만한 분 있을까요?"

이사가 조바심이 난 듯 말했다.

"아니. 지난주에 수업이 다 끝났어. 학기말 과제는 지금 내야 하고. 10초 뒤에 이 과제물을 수에레즈 교수님 댁으로 부쳐야 해. 학교는 내년 1월 15일까지 닫혀 있을 거야. 그때 다시 오렴."

탁탁탁.

"1월 15일이요?"

제시가 외쳤다.

"지금 컴퓨터에서 찾아봐 주시면 안 돼요?"

아주머니는 키보드 두드리기를 멈추더니 컴퓨터를 꺼 버렸다.

"미안."

하나도 미안하지 않은 목소리였다. 밴더비커가 아이들은 아주머니가 책상 위에 놓인 과제물들을 봉투에 담는 모습을 지켜봤다.

그때 복도에서 누군가가 외쳤다.

"잠깐만요! 지금 낼게요!"

아이들이 문밖을 내다보니 헝클어진 머리를 한 여학생이 종이를 흔들며 헐레벌떡 뛰어오고 있었다. 여학생은 도착하면서 가속도를 줄이느라 문을 잡았다. 아이들은 학생이 안으로 들어갈 수 있게 옆으로 비켜섰다.

"과제 여기 있어요!"

여학생은 숨이 넘어갈 듯 헐떡이며 외쳤다.

"늦었어."

회색 머리의 아주머니가 손가락으로 시계를 가리켰다. 오전 10시 1분이었다.

여학생은 가슴을 움켜잡으며 사정했다.

"제발요! 이번 학기에 통과 못하면 장학금을 잃게 돼요."

"모두 내 사무실에서 나가도록!"

아주머니는 모든 희망을 짓밟는 명령을 내렸다.

"내 겨울방학이 1분 전에 시작됐거든."

아주머니는 옷걸이에서 재킷과 가방을 빼더니 사람들을 사무실에서 복도로 밀어냈다. 그리고 뒤따라 나와 열쇠로 문을 잠근 뒤에 거부당한 아이들을 쭉 둘러보았다.

그녀는 이사와 제시에게 말했다.

"1월 15일 이후에 오렴. 어쩌면 그땐 도와줄 사람이 있을지도 모르니까."

과제물을 든 여학생 - 두 손을 움켜쥐고 울고 있었다 - 에게는 매몰차게 말했다.

"다음에는 늦지 마."

그러고는 여학생 손에서 과제물을 낚아챈 다음 복도를 또각또각 소리를 내며 걸어가서 모퉁이를 돌아 사라졌다.

"와, 감사합니다, 신이시여!"

기운이 다 빠진 여학생은 복도 벽에 털썩 기대며 외쳤다.

밴더비커가 아이들은 이상하다는 듯 고개를 흔들었다. 대학교라는 곳이 꿈이 죽어버리는 곳처럼 느껴졌다.

"여긴 공주님 안 살잖아."

눈물이 그렁그렁한 레이니가 언니 오빠를 따라 건물 밖으로 나오면서 말했다.

"레이니, 미안. 내 생각이 나빴어."

이사는 레이니를 안아 올려 눈물을 닦아 주었다.

"캐슬먼 베이커리에 갈래? 쿠키 사 줄게."

레이니는 머리카락이 찰싹찰싹 부딪힐 정도로 고개를 가로저었다.

"집에 갈래."

아이들은 141번가를 향해서 터벅터벅 걷기 시작했다. 성 같은 대학에 대한 환상이 연기처럼 사라졌다. 아이들은 집의 따뜻한 온기, 자신들을 기다리는 반려동물들, 엄마의 영양 가득한 식사, 그리고 친구와 이웃들의 사랑이 그리웠다.

✖·✖·✖·✖

141번가로 돌아오는 길에 아무도 말이 없었다. 141번가로 들어서자 제시는 잠시 멈춰 서서 이웃인 샬럿 아줌마와 아줌마의 아들 조지프에게 탄원서 서명을 받았다. 다섯 살밖에 안 된 조지프가 줄에 맞춰서 조심스럽게 이름을 쓰고 있을 때 낡은 외투에 빨간 목도리를 두른 중년의 아저씨가 다가왔다.

"저희 탄원서에 서명해 주실래요?"

레이니가 아저씨에게 다가가 외투 주머니에서 꾸깃꾸깃한 탄원서를 꺼내서 내밀었다.

아저씨는 다섯 명의 아이를 주름진 따뜻한 눈으로 바라보더니 종이를 받아 폈다.

"탄원서에 대해서 설명해 줄래?"

아저씨의 목소리는 깊으면서도 걸걸했다.

아이들은 먼저 자신들을 소개했다.

"저희 집주인이 계약을 갱신하도록 설득 중이에요."

이사가 설명했다.

“그럼 서명해야지.”

아저씨는 종이 맨 위에 있는 설명을 읽지도 않고 ‘오스틴 로체스터’라고 이름을 썼다.

“올바른 시민의 정신을 가지고 있는 너희들이 자랑스럽구나.”

북극처럼 매서운 바람이 불자 로체스터 씨와 아이들은 뒤돌아서 바람을 맞았다. 바람이 조금 잔잔해지자 로체스터 씨가 다시 말을 이었다.

“공동체의 삶에 나서는 사람들이 난 좋더라. 나도 일하면서 그런 걸 권장하려고 항상 노력한단다.”

“어디서 일하시는데요?”

히아신스가 물었다.

“난 음악가란다. 첼로 연주자지. ‘리듬 엔와이시’라고 하는 10대 오케스트라의 단장이기도 하고.”

“저도 들어본 적 있어요.”

이사의 눈이 반짝였다.

“저도 음악가예요. 바이올린을 연주해요.”

“고등학생이면 오디션 볼 수 있겠구나.”

“저는 열두 살밖에 안 됐어요. 하지만 2년 뒤면 오디션 볼 수 있죠. 멋질 것 같아요.”

로체스터 씨는 외투 주머니에서 명함 한 장을 꺼냈다.

“가지고 있어라. 대학교에 가기 전에 꼭 하게 오디션을 보도록 해. 오디션에 관한 정보는 우리 홈페이지에 다 나와 있어."

이사는 값비싼 선물이라도 되는 양 명함을 조심스럽게 잡았다.

"근처에 사세요?"

올리버가 묻자 로체스터 씨는 주소를 보여 주었다.

"아니, 이 근처에서 아파트를 찾고 있단다. 브라운스톤이라고 하던데, 내가 잘 가고 있는 거 맞니?"

이사, 제시, 히아신스, 레이니는 주소를 읽고 난 뒤 공포에 질린 눈으로 자신들을 보고 있던 올리버를 바라봤다.

"아니요, 저쪽으로 세 구역은 더 가셔야 해요."

올리버는 반대 방향을 가리키며 거짓말을 했다.

"고맙다. 내가 워낙 길치라. 어딜 가든 아내를 따라다니기만 했는데, 아내가 지금은 미라를 찾아 이집트 여행 중이야. 멋지지 않니?"

"멋져요!"

아이들이 합창을 했다. 로체스터 씨는 시계를 들여다보며 말했다.

"그럼, 난 이제 가볼게. 집을 보고 바로 리허설에 가야 하거든. 벌써 늦었구나. 아무튼 만나서 반가웠어."

로체스터 씨는 아이들과 일일이 악수를 했고 레이니의 포옹을 받은 다음에 아이들과 브라운스톤에서 성큼성큼 멀어졌다.

"나 번개 맞을 것 같아."

올리버가 말했다.

"저렇게 좋은 분한테 우리가…… 우리가…… 거짓말을 했어!"

이사는 눈에 눈물이 고였다.

"이유가 있었잖아."

제시가 힘없이 변호했다.

"우리 이웃이 됐으면 좋겠어. 부인이 미라에 대해 안다니까."

레이니가 엉뚱한 소리를 했다.

"브라운스톤에 완벽한 입주자였을 거야. 브라운스톤의 정신을 이해하셨을 테지."

이사가 슬픔에 잠겨 말했다.

그때 갑자기 강한 바람이 불어와 아이들은 뒤로 돌아 바람이 볼에 따귀를 때리는 걸 피했다. 꼭 벌을 받는 것만 같았다.

16

그날 오후에 아이들은 '친절한 행동' 작전을 개시했다. 레이니는 거실 탁자에 앉아서 히아신스, 제시, 올리버와 함께 브라운스톤 그림을 그렸다. 프란츠는 탁자 밑에 누워 자신의 물통에서 상습적으로 물을` 받아 먹는 파가니니를 노려보고 있었다. 지하 연습실에서는 이사가 바이올린 연주를 시디에 녹음하고 있었다. 10분 정도 조용히 그림을 그리던 히아신스는 레이니가 얼마나 그렸는지 검사했다.

"이게 우리 집이야?"

"엉."

레이니가 혀를 내밀며 대답했다.

제시는 과일 건전지 실험을 하다가 아이들을 훔쳐봤다.

"브라운스톤은 무지개 색깔이 아니야."

"엉."

레이니는 건물 중앙에 보라색을 칠하면서 대답했다.

"비더먼 아저씨는 그런 줄도 모를걸?"

올리버가 비웃었다.

"알걸? 브라운스톤이잖아, 브라운."

"그림이 더…… 현실적이어야 하지 않아? 내가 도와줄게."

제시가 나섰지만 레이니는 제시를 손으로 밀쳤다.

"내가 하고 싶은 대로 할 거야."

레이니는 입술을 고집스럽게 오므리고 계속 색칠을 했다. 이내 종이가 온갖 색으로 가득 찼다. 건물 밑에는 가족(반려동물 포함), 조지 할머니와 지트 할아버지, 그리고 비더먼 아저씨를 상상해서 그려 넣었다.

히아신스는 비더먼 아저씨에 대한 자신의 진짜 계획을 알리고 싶지 않았다. 그건 '일급 기밀'이었다. 그래서 판지와 얇은 종이로 크리스마스 화관을 만들었다. 히아신스는 작게 돌돌 만 종이를 둥근 판자에 풀로 붙이면서 한 가지 의문이 생겼다.

"비더먼 아저씨는 왜 집에서 나오질 않는 걸까?"

제시는 어깨를 으쓱했다.

"아저씨는 모든 사람을 미워하는 괴팍한 노인네야."

"그건 말이 안 돼. 괴팍하다고 집에만 틀어박혀 사는 건 아니잖아."

"넬슨 씨도 괴팍한 데 소질이 있지."

레이니는 지하철역에서 부스를 지키는 아저씨를 생각하며 말했다.

"그건 아저씨가 관장염이라서 그런 거야."

잠깐 정적이 흐르더니 제시가 레이니의 말을 고쳐 주었다.

"관절염이야."

"비저맨 아저씨도 그런 걸까?"

"집 밖으로 한 발자국도 안 나가는 데에는 그것보다 더 중요한 이유가 있어야 할걸? 어쩌면 가택연금 된 걸지도 몰라. 아니면…… 증인 보호프로그램에 들어가 있는 걸지도 모르고!"

올리버가 눈을 반짝거리며 가설을 세웠다.

"아서 삼촌이 너한테 추리소설 보내는 걸 그만둬야 해."

제시가 말했다.

올리버는 제시 말은 무시하고 종이 한 장을 공중에 들고 흔들었다. 히아신스가 시를 쓰려는 올리버에게 판다 그림이 가득 그려진 필기도구를 줬었다. 올리버는 자신의 시가 이상하다고 생각했지만 다른 아이들은 귀엽다고 했다.

"이 시는 어떻게 읽는 거야?"

"이건 좀…… 짧은데."

제시가 몇 년 동안 모은 잡동사니를 뒤지며 지적했다. 볼트, 구부러진 못, 배관, 녹슨 동전, 주인 없는 열쇠가 상자 안에 뒤죽박죽 섞여 있었다.

올리버는 눈을 굴렸다.

"여보세요? 이건 하이쿠라고요!"

올리버는 요란하게 한숨을 쉬었다.

그러는 사이에 제시는 레몬 네 개와 양쪽 끝에 클립이 물린 전선 여섯 개를 모았다. 그리고 전선의 한쪽 끝을 레몬에 박은 못에 연결하고 반대쪽 끝은 다른 레몬에 박은 동전에 연결했다. 그렇게 해서 레몬네 개를 금세 연결했고 끝부분의 전선은 아무 데도 연결하지 않았다.

제시는 아이들을 바라봤다.

"준비됐지?"

제시가 묻자 아이들은 고개를 세차게 끄덕였다.

제시가 연결되지 않았던 전선 두 개의 끝을 엘이디 전구에서 나온 작은 선에 연결하자 전구에 불이 들어왔다.

"헐헐헐!"

레이니가 전구를 만지려고 손을 뻗으며 소리쳤다. 하지만 제시가 레이니의 손을 찰싹 내리쳤다.

"너무 멋진걸! 비더먼 아저씨도 놀라실 거야."

히아신스도 신이 났다.

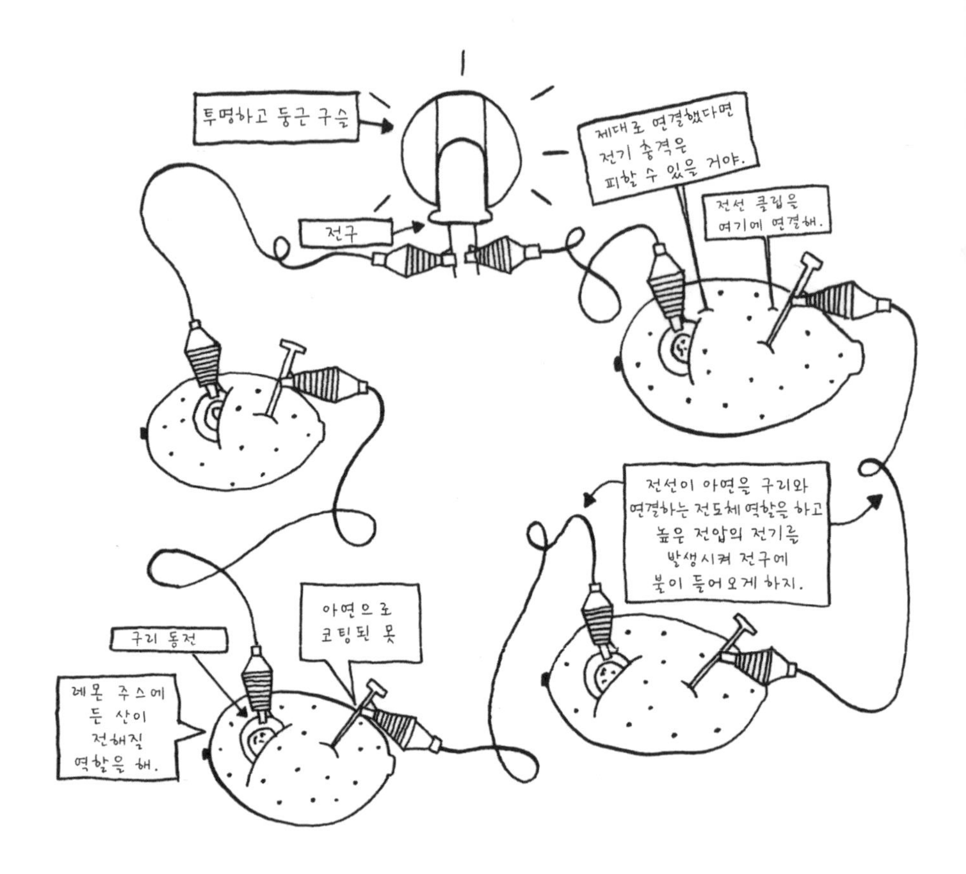

"이게 다야?"

올리버는 대단치 않아 하며 물었다.

"이 멋진 구슬을 여기에 고정시킬 거야."

제시가 에메랄드빛이 도는 초록색 투명 구슬을 엘이디 전구에 꽂았더니 예쁜 빛이 퍼졌다.

"와, 정말 예쁘다!"

히아신스가 감탄했다.

"나도 만들어 줘."

레이니가 애원했다.

"이게 다야?"

올리버가 다시 물었다.

제시는 어깨를 으쓱했다. 기대했던 것보다 드라마틱한 효과가 떨어졌다. 시간이 충분했다면 레몬 열두 개로 더 밝은 빛을 만들어낼 수 있었을 것이다. 하지만 실험 없이는 과학의 발전도 이룰 수 없는 법. 비더먼 아저씨도 그걸 알고 제시의 노력을 인정해 줬으면 좋겠다.

제시는 레몬산이 낭비되지 않도록 레몬에 박아둔 못에서 전구 선을 하나 뺐다. 그리고 자신의 작품을 쟁반 위에 올려놓았다. 아이들은 각자 선물을 들고 위층으로 올라갔다. 올리버는 식탁 매트 사건으로 트라우마가 생긴 히아신스와 둘이 2층에 남아 있었다. 레이니의 그림과 올리버의 시는 문 밑으로 집어넣었고, 히아신스의 화관은 문에 난 작은 구멍 밑에 테이프로 고정시켰다. 제시는 쟁반을 바닥에 내려놓은 다음에 메모를 문 밑으로 집어넣었다. 메모에는 '문을 열고 놀라시길!'이라고 쓰여 있었다.

히아신스는 아이들이 선물을 가져다 두는 모습을 지켜보며 언젠가 자기도 비더먼 아저씨네 문 앞에 설 수 있을 만큼 용감했으면 좋겠다고 생각했다.

⁂

아이들이 집으로 돌아오고 몇 분이 지난 뒤에 갑자기 초인종이 울렸다. 프란츠가 문 앞에 깔아둔 카펫이 없어진 걸 모르고 문을 향해 전속력으로 달려가는 바람에 나무 바닥 위를 미끄러지다가 결국 문에 쾅 부딪혔다. 제시가 프란츠를 옆으로 밀고 문을 열었다.

"안녕, 앤지?"

제시가 앤지를 안으로 들어오게 하며 인사를 했다. 프란츠는 갑작스러운 충격에도 금방 정신을 차리고 꼬리를 분당 200번씩 흔들며 앤지 주위를 빙빙 돌았다.

"올리버 있어?"

앤지가 목도리를 풀고 프란츠의 귀를 긁어 주며 말했다.

"응."

제시가 앤지 뒤로 올리버를 불렀다.

"올리버, 농구장에서 네 갈비뼈 박살 낸 애 왔다."

올리버가 두꺼운 피칸 버터 쿠키와 잼을 바른 샌드위치를 한 손에 들고 부엌에서 나왔다.

"안녕? 어쩐 일이야?"

올리버는 끈적끈적한 샌드위치를 한입 가득 물고 인사를 했다.

앤지는 침통한 눈으로 올리버를 바라봤다.

"비더먼 아저씨에 관한 비밀을 알아냈어."

샌드위치를 씹던 올리버는 동작을 멈췄다. 제시는 지하실 계단으로 달려가 시디를 녹음하던 이사를 불렀다. 이내 밴더비커가 아이들이 앤지를 가운데 두고 모두 모였다.

올리버가 침을 꿀꺽 삼키며 물었다.

"그게 뭔데? 뭘 찾았어?"

앤지는 올리버에게 종이 한 장을 내밀었다. 몇 줄 안 되는 글이 프린트된 종이였다.

올리버가 내용을 큰 소리로 읽기 시작했다.

"2007년 3월 8일, 할렘에 거주하는 애비게일 비더먼(42)과 그의 딸 루시애나 비더먼(16)이 사망함. 유가족으로는 남편이자 아버지인 아서 비더먼이 있다. 버나드 장의사의 주재로 장례식이 열릴 예정이다."

올리버는 앤지를 바라봤다.

"아서 비더먼이 우리의 비더먼 아저씨라는 거야?"

"그런 것 같아. 아빠가 아저씨 이름이 맞는다고 했어."

"아저씨한테 딸이 있었어? 아내도?"

이사가 물었다.

"그럴 리가 없어. 아저씨는 아이들도 미워하고 사람들을 미워하는걸."

제시가 대꾸했다.

"만약 아저씨가……."

올리버는 비장하게 말을 멈췄다.

"…… 가족을 죽였다면?"

히아신스는 숨을 못 쉬었고, 프란츠는 으르렁거렸으며, 레이니는 새끼손가락으로 귀를 막았다.

"만약 그랬다면 지금쯤 감옥에 있겠지."

제시가 지적했다.

"아저씨가 범인인 줄 경찰이 알았어야지."

앤지가 끼어들었다.

"그래서 집 밖으로 절대 안 나오는 거 아닐까? 숨으려고."

"아니야, 그럴 리가 없어."

이사가 반대하고 나섰다.

"어디 사는지 빤히 아는데. 멕시코나 마다가스카르 같은 곳의 외딴 섬에서 살면 될 걸."

"맞아."

올리버가 부고란을 다시 내려다보며 인정했다. 올리버의 눈은 '사망'이라는 단어에 꽂혔다. 그 말이 되돌릴 수 없는 것을 뜻하는 것 같았다.

"어떻게 죽은 건지 궁금해. 아내와 딸은 죽었는데 아저씨는 멀쩡한 것도 이상하고."

제시가 말하자 이사가 물었다.

"너무 슬프지 않니? 다 죽고 아빠만 남아 있다고 생각해 봐. 아빠라면 어떻게 했겠어?"

"아빠는 울 거야. 엉엉엉."

레이니가 아빠 흉내를 냈다. 아이들은 가족이 모두 세상을 떠나고 혼자 살아남았다면 기분이 어떨까 하고 말없이 생각에 잠겼다.

✖·✖·✖·✖

이사는 배 속에서 혼란의 블랙홀이 느껴졌다. 새벽 세 시. 제대로 되는 일이 아무것도 없었다. 먼저 시립 대학교 예술사학과에서 아무도 만나지 못했다. 그리고 이기적인 이유로 좋은 아저씨 로체스터 씨에게 거짓말을 했으며, 마지막으로 비더먼 아저씨의 가족이 모두 죽었다는 걸 알아냈다.

이사의 마음은 수많은 생각과 질문, 그리고 걱정으로 혼란스러웠다. 이사는 비더먼 아저씨를 위해 파가니니의 <바이올린과 기타를 위한 칸타빌레>에서 바이올린 부분을 연주해서 시디에 녹음했다.

'역시 마음에 토네이도가 불어 닥칠 땐 칸타빌레를 연주하기 쉽지 않아.'

이사는 이렇게 생각하며 다시 연주를 시작했다.

제시가 얼마 뒤에 지하실로 내려왔다. 이사가 네 번째 녹음을 할 때 제시는 베개 두 개를 등에 대고 큰 대자로 누워 『내셔널 지오그래픽』 잡지를 펼쳤다. 몇 분 뒤에는 제시의 눈이 스르르 감기더니 바이올린의 선율과 라디에이터에서 나오는 따뜻한 공기에 휩싸여 잠이 들었다.

이사는 리코더를 껐다. 요행은 없었다. 지금은 칸타빌레를 도저히 연주할 수 없다. 이사는 밖으로 나가 신선한 공기를 마시고 마음을 비우고 싶었다. 제시를 바라보며 깨울까도 싶었지만 제시는 카펫 위에서 몸을 말고 평안히 자고 있었다. 이사는 제시에게 담요를 덮어 주고 위층으로 올라갔다.

이사는 다음 날 저녁 식사 때 먹을 빵을 사러 캐슬먼 베이커리로 향했다. 가는 내내 강한 바람과 싸워야 했다. 며칠 전 베니와 나눴던 진짜 진짜 이상한 대화가 떠올라 베니를 보기가 걱정스러웠다. 베니는 가장 친한 친구이다. 베니와 베이커리에서 보드게임과 퍼즐을 하면서 보낸 시간만 해도 수백 시간을 족히 될 것이다. 이사가 중학교에 입학하던 첫날에는 사물함 찾는 것도 도와주고 교실에도 함께 가 주었다. 그런 베니가 이사를 간다고 해도 왜 아무런 신경도 쓰지 않을까?

베이커리에 가까워질수록 이사는 심장이 두근거리는 걸 느끼고 놀랐다. 안으로 들어가자 계산대에는 베니가 아니라 캐슬먼 부인이 다른 가족이 고른 빵을 계산하고 있었다. 이사는 뒤에 서서 유리 진열대를 살폈다. 눈을 감고도 무슨 빵이 있는지 다 알지만. 손님이 떠나자 캐슬먼 부인이 이사에게 인사를 했다.

"너한테 줄 게 있어."

캐슬먼 부인은 계산대 밑에서 봉투를 꺼냈다.

"나중에 읽어 봐."

"이게 뭐예요?"

이사는 봉투를 받으며 물었다. 봉투가 워낙 가벼워서 텅 빈 건 아닌지 의심이 될 정도였다.

캐슬먼 부인은 고개를 젓더니 베이커리 뒤편으로 사라져 버렸다. 이사는 캐슬먼 부인이 베니에게 나가서 계산대 좀 보라고 말하는 소리를 듣고 그 자리에 얼어붙었다.

봉투를 부랴부랴 가방에 넣느라 손이 바들바들 떨렸다. 뒷문이 열렸을 때 이사가 고개를 들었다. 베니는 이사를 보고 그 자리에 멈춰 섰다.

"안녕?"

이사가 먼저 인사를 건넸다.

"안녕?"

베니도 인사를 했다.

"빵 사려고."

"그래."

"바게트 세 개 살래."

"그래."

베니는 바구니에서 바게트 세 개를 집어 봉지에 넣었다.

"4달러 40센트야."

이사는 지갑을 꺼내서 정확히 4달러 40센트를 건넸다.

"고마워."

베니는 대꾸가 없었다. 이사를 아예 등지고 벽에 걸린 철사 바구니에 든 빵을 정리했다.

이사는 빵 봉지를 들고 나가려 했다. 그런데 갑자기 무모한 생각이 들었다. 처음 느껴보는 감정이었다. 이사는 뒤로 돌아 계산대로 쿵쿵거리며 걸어갔다.

"너 왜 그래?"

이사는 허리에 두 손을 올리고 물었다.

베니는 재빨리 몸을 돌렸다.

"뭔 소리야? 왜 그러냐니? 어떻게 그런 질문을 할 수가 있어? 문제가 있는 건 너잖아!"

"내가? 이상하게 군 건 너야! 나한테 얼마나 끔찍한 일이 벌어지고 있는 줄 알아? 그런데도 넌 상관도 안 하고!"

베니는 실눈을 뜨며 대꾸했다.

"내가 너한테 그렇게 끔찍해? 알려줘서 고맙다."

"여기서 갑자기 네가 왜 나와? 난 네가 도와줄 줄 알았는데…… 나랑 이제 안 보려고 하는구나?"

"내가 널 안 본다고? 그건 너잖……."

베니는 말을 멈추고 깊이 숨을 들이쉬었다.

"이사, 그냥 없었던 일로 치자. 너도 좋지?"

"무슨 일? 도대체 뭔 소릴 하는 거야?"

"8학년 댄스파티 일을 벌써 잊은 건 아니지?"

"8학년 댄스파티가 나랑 무슨 상관이야? 난 알레그라가 드레스 고르는 걸 도와줬을 뿐이야. 칼슨이랑 간다고 해서."

"나도 알아. 내가 말하는 건 알레그라가 아니라 너라고."

베니는 이를 악물고 말했다.

"난 댄스파티 안가. 아무도 가자고 안 했다고!"

이사는 비명을 지르다시피 외쳤다.

"내가 가자고 했잖아!"

베니도 지지 않고 목소리를 높였다.

그리고 침묵이 흘렀다.

"내가…… 너랑……?"

이사가 더듬거리며 물었다.

"나한테 물어본 적 없잖아."

"물었지! 네가 나랑 갈 수 있는지 제시한테 물었어. 그랬더니 제시가 넌 절대 안 간다고 하던데? 장담했다고."

이사의 심장이 덜컥 내려앉았다. 그리고 작은 소리로 말했다.

"나한테 말 안 했어."

"그 말을 믿으라고? 너희 둘이 안 하는 말도 있냐? 아닌 척 하지 마. 아무튼 난 벌써 다른 애한테 가자고 했어."

베니는 이제 그만 가 보라는 듯 계산대 주변을 정리하기 시작했다.

이사는 울고 싶었다. 베니는 어떻게 내가 자기에게 거짓말을 할 수 있다고 생각하지? 정말 날 댄스파티에 데려가려고 한 건가? 그럼 같이 간다는 애는 누구?

그리고 제시도 문제였다. 가장 친한 친구인 쌍둥이 자매. 이 세상에서 그 누구보다 나를 잘 아는 사람.

이사는 베이커리를 나와 정신없이 집을 향해 걸었다. 주위로 몰아치는 강풍도 느껴지지 않았다. 이사는 답을 들어야 했다.

제시와 대화가 필요했다.

17

엄마는 짜증이 제대로 났다. 비더먼 아저씨의 부동산 중개업자가 눈치도 없이 당장 내일 누군가를 데리고 집을 보러 오겠다고 전화를 한 것이다. 내일? 크리스마스이브에?! 엄마가 크리스마스이브와 크리스마스에 누가 집을 보러 오느냐며 절대 절대 안 된다고 엄포를 놓았다. 중개업자는 그래도 엄마를 구슬려 보려고 했지만 엄마가 전화를 끊어 버렸다. 대단해!

"할 일이 태산이야!"

엄마는 상자가 가득 쌓인 거실 중앙에 서서 혼잣말을 중얼거렸다. 올리버는 빈 상자 안에 들어가 책을 읽고 있었고, 레이니는 다른 상자에 들어가 강아지인 척 놀고 있었다.

"내가 도와줄게."

러그 위에 앉아 있던 히아신스가 엄마에게 제안했다. 히아신스는 뜨개바늘을 움직일 때마다 이마를 찌푸렸고, 프란츠의 두 눈은 풀린 실몽당이에 꽂혀 있었다.

엄마는 꼬질꼬질해진 프란츠를 바라보았다.

"그래, 엄마 좀 도와줘. 프란츠 목욕 좀 시켜야겠다."

그러고 보니 프란츠를 마지막으로 목욕시킨 게 3주 전이었다. 목욕하는 주기가 길어질수록 프란츠의 행동이 더 변덕스러워졌다. 귀도 깨끗하고 나무 열매 향이 나야 훨씬 얌전하다.

올리버와 레이니는 사냥에 쫓기는 영양처럼 잽싸게 상자에서 나와 계단을 뛰어 올라갔다. 둘이 그렇게 사라지는 건 히아신스가 프란츠를 목욕시킬 때마다 나타나는 현상이다.

히아신스는 프란츠를 바라보며 위로했다.

"괜찮아, 프란츠. 오래 걸리지 않을 거야."

프란츠는 뒷문으로 몸을 쭈그리고 앉아 사람들 눈에 안 보이게 하려고 애썼다.

히아신스는 비밀 무기—개 비스킷—를 꺼내 프란츠를 유혹했고, 프란츠는 자기도 모르게 꼬르륵거리며 천국의 냄새가 나는 미끼를 향해 조금씩 기어갔다. 히아신스는 프란츠가 비스킷을 무는 순간 목덜미를 잡아채서 온 힘을 다해 프란츠를 욕실로 끌고 갔다. 15분 뒤에 프란츠는 구슬프게 울다가 목이 다 쉬어 버렸다. 히아신스와 프란츠 둘 다 몸이 흠뻑 젖었다. 히아신스는 푹신한 수건으로 프란츠의 몸을 두르고 마음의 준비를 한 다음에 욕실 문을 세 번 두드렸다.

"준비됐어?"

히아신스가 소리쳤다.

"아직…… 기다려! 됐다. 이제 괜찮을 것 같아."

엄마가 문 반대편에서 외쳤다.

히아신스가 문을 아주 조금만 열어서 밖을 훔쳐봤다. 엄마는 옛날에 쓰던 작은 울타리를 들어 올려 침실로 향하는 계단을 막았고, 파가니니는 이미 위층으로 피신한 상태였다. 엄마는 울타리 반대편에 서서 프란츠가 나타나기를 기다렸다.

"멍멍! 멍멍!"

프란츠는 욕실 문을 걷어차고 나가면서 동네가 떠나갈 듯 짖었다. 거실과 부엌을 곧장 통과한 프란츠는 소파에서 껑충 뛰다가 의자를 쓰러뜨리고 상자들을 향해 미끄러졌다. 목욕 후 소동은 10분 정도 이어진다. 밴더비커 가족은 프란츠가 지쳐서 나가떨어질 때까지 근처에 가지도 않는다.

하지만 오늘은 히아신스가 프란츠를 욕실에서 내보내면서 잊어버린 게 있었다. 그 시간에 누군가 집에 온다는 사실을 까먹었던 것이다. 정문이 열리고 이사가 들어왔다.

"조심해!"

히아신스가 이사에게 경고했다.

"프란츠!"

엄마는 흥분해 날뛰는 프란츠에게 고함을 질렀다. 하지만 이미 때는 늦었다. 엄마는 손으로 눈을 가렸다.

"멍!"

프란츠는 이사를 향해 돌진하며 짖었다. 프란츠는 이사를 그대로 들이받았고, 뒤로 넘어진 이사의 외투에는 프란츠 크기의 젖은 자국이 남았다.

"이게 뭐……."

이사는 프란츠를 밀어내며 일어서려고 애썼다. 이사를 쓰러뜨린 게 올해 내린 결정 중 최악이었다는 걸 깨달은 프란츠는 여전히 욕실 앞에서 물을 뚝뚝 흘리고 있는 히아신스에게 어슬렁어슬렁 돌아갔다. 거실이 난장판이 되자 위층에 있던 아이들이 내려왔다. 이사는 지하실 계단 앞으로 걸어갔고, 그때 제시는 낮잠을 자던 지하실에서 올라오던 참이었다.

"너!"

이사는 제시를 손가락으로 가리켰다.

"우리 얘기 좀 해. 당장!"

이사는 마당으로 통하는 문으로 성큼성큼 걸어가서 문을 쾅 닫고 나갔다. 제시는 겁에 질렸다. 이사가 방금처럼 목소리를 높이는 건 처음 봤다. 제시가 부엌을 통과해 뒷마당으로 나가는 사이, 나머지 가족들의 눈이 제시를 쫓았다. 이사는 오래된 단풍나무 밑에서 화가 난 듯 제시를 등지고 서 있었다. 갑자기 불어온 바람에 제시는 으슬으슬한지 양팔을 비볐다.

"캐슬먼 베이커리 갔었어."

이사가 입을 열었다. 제시는 침을 꿀꺽 삼켰다.

"내가 거기서 누구 봤는지 알아?"

"어…… 아줌마?"

제시는 헛된 희망을 품었다.

"베니야!"

이사는 제시를 돌아보며 소리쳤다. 바람에 머리카락이 휘날렸다.

"베니가 날 미워한다고. 다 너 때문이야!"

"다 이유가 있어."

"네가 나 대신 결정을 내릴 권리가 있어? 내가 댄스파티에 가고 싶어 하는 거 너도 알았잖아. 베니는 내가 자기를 싫어하는 줄 알아. 나한테 왜 이러는 거야?"

"네가 안 갈 줄 알았지. 내가 댄스파티 비웃은 거 너도 알잖아."

"내가 너야? 우린 똑같은 사람이 아니야. 너 때문에 베니는 다른 여자애 데리고 갈 거래!"

이사의 볼에 눈물이 또르르 굴러 떨어졌다. 제시는 움직이지도 못하고 말도 못하는 동상처럼 굳어 버렸다.

이사의 목소리가 다시 낮아졌다.

"나 혼자 있게 해 줘. 나한테 말 걸지 말고. 나 대신 말하지도 마. 나 대신 결정하지 말라고. 다른 사람들한테 내 얘기도 하지 마. 알았어?"

이사는 집으로 들어가 다시 문을 쾅 닫았다. 창문으로 대화를 모두 엿들은 가족들은 죄 지은 사람들처럼 잽싸게 흩어졌다. 하지만 눈길은 쿵쾅쿵쾅 위층으로 올라가는 이사에게 향했다. 방문이 쾅 닫히는 소리가 들리자 가족들은 다시 창문에 달라붙어 제시를 훔쳐봤다. 제시는 등을 지고 있었지만 가족들은 제시의 어깨가 흔들리는 걸 볼 수 있었다. 제시는 외투도 입지 않고 차가운 날씨에 5분 동안 바깥에 서 있었다. 그러자 엄마가 밖으로 나갔다.

"제시?"

엄마가 외투를 걸쳐 주며 말을 걸었다. 제시는 온몸을 떨고 있었다.

"엄마한테 얘기할래? 내가 도와줄까?"

제시는 고개를 가로저었다. 엄마는 제시의 허리에 팔을 두르고 가까이 끌어당긴 다음 위로의 말을 속삭였다. 두 사람은 그렇게 서 있다가 제시가 정말 몸을 벌벌 떨기 시작하자 엄마가 제시의 어깨에 팔을 두르고 집으로 들어왔다.

✖·✖·✖·✖

그날 밤 제시는 소파에서 잠을 청했다. 이사는 그날 밤에 어쩌면 평생토록 제시 얼굴을 더는 보고 싶지 않다는 뜻을 분명히 했다. 이렇게 떨어져서 따로 자는 건 쌍둥이 인생에서 처음 벌어진 일이었다. 제시에게 친구가 필요하다고 느꼈는지 조지 워싱턴이 제시 옆에서 똬리를 틀고 누웠고 처음으로 제시의 발을 공격하지 않았다. 파가니니는 소파 밑에서 마치 위험이라도 다가오는 듯 코를 실룩거리고 귀를 쫑긋 세웠다.

제시의 눈에서 눈물이 새어 나와 베개를 적셨다. 제시는 천장을 보고 누워 요란한 사이렌 소리를 내며 병원으로 질주하는 앰뷸런스의 수를 셌다. 그렇게 여덟 대 까지 세다가 불안한 잠에 빠져들었다. 몇 시간이 지났을 때 제시는 잠에서 깨어났고 파가니니 옆에서 잠이 든 아빠가 보였다.

“아빠?”

제시가 잠과 눈물로 뒤섞인 쉰 목소리로 불렀다.

“정신적인 지지야. 네가 혹시 아빠를 필요로 할까 봐.”

제시가 다시 눈을 감자 눈물이 하염없이 흘러내렸다.

위층에서 이사는 아직 잠들지 못했다. 제니와 베니, 8학년 댄스파티, 긴 연분홍 드레스와 꽃팔찌에 관한 생각 때문에 심란했다. 생각은 비더먼 아저씨와 브라운스톤, 지하 연습실로 이어졌다. 이사는 무척 외롭고 당황스러워서 이제는 비더먼 작전이 성공할 수 있을지도 확신이 서지 않았다.

그렇게 한 시간을 더 보낸 이사는 캐슬먼 부인이 준 봉투를 떠올렸다. 그래서 침대에서 일어나 가방을 뒤져 봉투를 찾았다. 봉투를 열자 노랗게 바랜 신문 기사 한 장이 팔랑팔랑 바닥으로 떨어졌다.

재빨리 기사를 훑어본 이사는 심장이 조여 오는 것 같았다. 이사는 기사를 다시 봉투에 넣어 책장에 있는 책 사이에 꽂아두었다. 그런 다음에 방을 나가 안방이 있는 아래층으로 향했다.

침대에는 엄마만 자고 있었다. 이사는 이불 속으로 파고들어가 엄마 옆에 몸을 웅크리고 누웠다.

엄마가 눈을 뜨고 속삭였다.

“안녕, 우리 딸?”

“엄마.”

이사는 심장이 있는 왼쪽 가슴을 비비며 말했다.

"모든 게 아파."

"그래."

엄마는 이사의 머리를 쓰다듬으며 말했다.

한 시간 뒤 이사가 잠이 들자 브라운스톤도 마지막 밴더비커가 아이가 깊은 잠에 빠진 걸 확인하고는 안심하듯 그르렁거렸다.

할렘 가 교통사고로 지역 주민 모녀가 목숨을 잃다

애비게일 비더먼(42)과 딸 루시애나 비더먼(16)이 137번가와 컨벤트 애비뉴 교차로에서 길을 건너다가 택시에 치였다고 경찰이 발표했다. 모녀는 사고 현장에서 다섯 구역 떨어진 할렘에 거주하고 있었다. 택시 운전사인 데이비드 앨버트슨은 가벼운 부상만 입었다.

"택시가 모퉁이를 빠른 속도로 돌아왔어요. 정말 끔찍한 광경이었어요." 근처에서 베이커리를 운영하는 헬렌 캐슬먼은 가게 바로 앞에서 사고를 목격했다. 피해자는 할렘 종합병원으로 응급 수송되었고, 애비게일 비더먼은 도착 즉시 사망 선고를 받았다. 루시애나 비더먼도 그날 밤 부상을 회복하지 못하고 사망했다. 경찰은 퇴원한 운전사를 상대로 술이나 마약을 복용한 상태였는지 조사하고 있다. 운전사는 구속되지 않았다.

12월 24일 화요일

18

제시가 눈을 번쩍 떴다. 바닥에서 자는 아빠의 코고는 소리와 이불을 지근지근 밟고 있는 조지 워싱턴을 인지하기까지 시간이 좀 걸렸다. 파가니니는 아빠 주위로 원을 그리고 뛰면서 빨리 일어나라는 듯 아빠의 발을 코로 톡톡 쳤다. 제시는 가슴에 손을 얹고 비볐다.

오늘은 크리스마스이브다.

아빠는 코를 크게 한 번 골더니 그 소리에 놀라 깨 버렸다.

"뭐? 외투를 가져와!"

아빠는 꼿꼿이 일어나 앉으며 소리쳤다. 그러고는 혼란스러운 듯 주위를 둘러보더니 자신을 내려다보는 제시를 쳐다봤다.

"아, 안녕, 우리 딸? 미안. 내가 코 골았니?"

"응."

"자면서 헛소리도 하든?"

"응."

두 사람은 일어나서 담요를 개고 아침 식사를 준비했다. 제시는 크리스마스이브 저녁 식사를 위해 준비할 목록을 살펴봤다. 위층에서는 가족들이 잠에서 깨어나는 소리가 들려왔다. 이사가 내려올 걸 생각하니 제시는 가슴이 체한 것처럼 답답했다.

가장 먼저 나타난 아이는 레이니였다. 판다 옷을 입은 레이니는 배가 부른 토끼에게 자신이 받고 싶은 크리스마스 선물이 뭔지 말해 주고 있었다. 그 다음에는 머리가 헝클어진 올리버가 비틀비틀 부엌으로 들어왔다. 제시는 저녁 메뉴를 보는 척하는 자신에게 올리버의 시선이 꽂히는 걸 느꼈다.

"엄마도 도와주겠지?"

올리버가 물었다.

"몰라. 아마 아닐걸."

제시는 안경을 고쳐 쓰며 대답했다.

"도와줘야 할 텐데. 다른 것도 아니고 크리스마스이브 만찬이잖아."

올리버의 대꾸는 그리 현명하지 못했던 것 같다.

"입 다무는 게 좋을걸?"

제시가 올리버의 말을 잘라버렸다. 이때 아빠가 끼어들었다.

"올리버, 우리 아들!"

"하나밖에 없는 아들. 칫!"

제시가 혼자 투덜거렸다.

"누나 좀 가만히 내버려 두면 좋겠네."

아빠가 해결사로 나섰다.

올리버는 어깨를 으쓱하고는 자기 말이 뭐가 잘못됐는지 크게 생각하지 않기로 했다. 어쨌든 자기를 이해해 줄 사람은 아무도 없을 거라고 생각했다.

히아신스는 프란츠와 함께 내려왔고 그 뒤를 엄마의 가벼운 발걸음이 따라왔다. 마침내 제시의 귀에 익숙한 발걸음 소리가 들려왔다. 제시는 눈만 돌려 이사가 부엌으로 들어오는 걸 훔쳐봤다. 이사는 레이니를 안아들고 모두에게 인사를 하며 자리에 앉았다. 제시만 빼고.

제시는 과감하게 이사를 응시했다.

"요리는 몇 시에 시작할래?"

"아무 때나."

이사는 제시의 눈길을 피하고 그 대신에 레이니의 코에 뽀뽀를 한 다음 내려놓으며 대답했다.

제시는 메모지를 연필로 톡톡 쳤다. 평소답지 않게 불안했다.

"요리를 나눌까? 내가 비프스튜랑 치즈 케이크를 만들 테니까 네가 구운 야채와 당근 케이크를 만들래?"

"좋아."

"비프스튜 만들고 싶으면 내가 구운 야채 할 수 있어."

"상관없어."

제시는 망설였다.

"그래서 비프스튜를 하겠다는 거야 구운 야채를 준비하겠다는 거야?"

"아무렴 어때."

이사는 제시에게 등을 돌리고 찬장에서 머그잔을 꺼냈다.

"그럼 원래대로 해?"

"그러든지 말든지!"

이사가 몸을 홱 돌려서 제시를 노려봤다. 그리고 제시와 이사를 번갈아 보며 모든 대화를 엿듣던 올리버와 히아신스를 쏘아봤다.

"이런!"

히아신스는 허공에 대고 외쳤다.

"프란츠가 뒷마당에 있는 새끼 고양이들 보러 가고 싶어 했는데."

히아신스는 꾸벅꾸벅 졸고 있는 프란츠의 목덜미를 잡고 밖으로 끌어냈다.

올리버도 말도 안 되는 핑계를 댔다.

"난 가 볼게. 그러니까…… 나 책장 정리해야 돼."

올리버는 부엌을 나와 한꺼번에 두 계단씩 올라갔다.

"얘들아."

엄마가 이사와 제시의 어깨에 손을 하나씩 얹으며 말했다.

"너희 둘이 무슨 문제가 있는 모양인데, 허기진 어른 일곱 명이랑 배고픈 어린이 세 명이 오늘 밤 만찬에 거는 기대가 크거든. 엄마랑 아빠는 아이들 데리고 자선단체에 기부할 선물 포장하러 갈 거야. 너희 둘이 괜찮겠지? 아니면 비상 계획을 세워야 할까?"

"우리가 할 수 있어요."

이사가 투덜거렸다. 제시는 아무 말 없이 고개만 끄덕였다.

오늘 하루가 빨리 지나갈 것 같지가 않다.

⁂·⁂·⁂·⁂

한 시간 뒤, 밴더비커 가족의 집은 으스스하게 한산했다. 다른 가족들이 피에스737 학교 카페테리아에 가서 기부용 장난감을 포장하는 동안 이사와 제시는 말 한마디 없이 저녁 식사를 준비했다. 어찌나 조용한지 작은 소리 하나도 부엌에 크게 울렸다.

제시는 비프스튜 재료를 기계적으로 검색했다. 속이 메스꺼웠다. 이렇게 속이 안 좋은 건 알레그라 엄마가 생선 머리로 만든 스튜를 먹었을 때가 마지막이었다. ("신장에 좋은 거야." 소아과 의사인 알레그라의 엄마가 말했다. '다 게워내도요?' 제시는 이렇게 생각하지만 입 밖으로 내지는 않았다.)

제시는 양파, 당근, 샐러리, 마늘을 다진 다음 볼에 넣었다. 양념통들을 늘어놓은 다음에 가스불을 켰다. 냄비에 올리브 오일을 두른 다음 다진 야채를 넣고 소고기와 육수를 넣었다. 그리고 재료를 골고루 저은 다음 기다렸다.

이사도 조리대에서 재료를 다지고 있었다. 칼이 낡은 도마에 탁탁탁 부딪혔다. 이사는 감자, 버섯, 피망, 당근을 다져서 로우스트 팬에 넣고 올리브 오일, 소금, 후추를 첨가했다. 그리고 오븐을 400도로 맞춰 놓고 그 안에 로우스트 팬을 툭 던지더니 오븐 문을 쾅 닫았다. 그러고 나서 지하실로 쿵쿵거리며 내려가 버렸다. 잠시 뒤 <라 폴리아>의 슬픈 선율이 울려 퍼졌다.

제시는 부엌 의자에 앉아 두 팔 사이에 얼굴을 묻고 조리대에 엎드렸다. 냄비가 증기로 들썩들썩 거리는 동안에도 제시는 꼼짝하지 않았다.

··*·*

선물 포장이 끝나자 학교를 가장 먼저 나선 것은 히아신스였다. 히아신스는 집에 들어서자마자 프란츠에게 목줄을 씌우고 가족들이 돌아오기 전에 뒷마당으로 나갔다.

"프란츠랑 나는 뒷마당에서 놀 거야. 알았어? 우리 나간다!"

히아신스가 불쑥 내뱉었지만 아무도 신경 쓰지 않았다. 바깥 온도가 영하에 가깝고 강한 바람에 가로수들이 휘어질 정도인데 말이다.

"프란츠, 잘 들어. 우리의 비밀 첩보 작전을 펼칠 시간이야."

히아신스와 프란츠는 아빠가 회색 쓰레기통과 파란색 재활용 쓰레기통을 놓아둔 골목으로 갔다. 히아신스는 엄마가 이사할 때 쓰기에는 작다며 버린 상자 무더기를 살폈다. 그중에서 완벽한 상자를 찾은 히아신스는 프란츠를 데리고 수국 덤불이 무성한 뒷마당 구석으로 돌아왔다. 커다란 오크 나무가 서 있는 곳이었다.

덤불 밑에는 고양이 가족이 살고 있었다. 히아신스는 지난 두 달 동안 어미 고양이에게 먹이를 주곤 했다. 윤이 나는 검은 털의 어미 고양이에게는 프란체스카 프리실라 알링턴이라는 이름을 지어 주었다. 6주 전에 어미가 새끼를 낳자 히아신스는 길거리에서 작은 나무 상자를 주워서 어미 고양이에게 집을 만들어 주었다. 바닥에는 조지 할머니와 지트 할아버지에게서 얻은 폭신한 담요를 깔아 주었다.

프란츠는 고개를 갸우뚱하더니 한쪽 귀를 실룩거렸다. 그리고 상자 안으로 고개를 밀어 넣더니 새끼 고양이 세 마리를 코로 쓰다듬었다. 그랬더니 고양이들은 코를 톡톡 치며 장난을 쳤다. 히아신스는 프란체스카 프리실라 알링턴을 쓰다듬고는 몸을 숙여 머리에 뽀뽀를 했다. 히아신스의 결심이 잠시 흔들렸다. 하지만 그때 기억나는 게 있었다. 마치 아빠가 바로 옆에 앉아서 귀에 대고 속삭이는 것처럼 생생했다.

'동물을 사랑해 보지 않은 자는 영혼의 일부가 깨어나지 못하지.'

히아신스는 깊이 숨을 들이마시고 나서 발에 흰 털이 난 까만 새끼 고양이를 상자에서 꺼냈다.

"아기 정말 정말 잘 돌봐 줄게."

히아신스가 프란체스카 프리실라 알링턴에게 속삭였다. 그리고 상자에 새끼 고양이를 넣은 다음 하고 있던 목도리를 풀었다. 직접 짠 무지개 색 목도리를 풀어 새끼 고양이를 감쌌다. 히아신스는 새끼 고양이가 든 상자를 들고 골목길로 나와서 브라운스톤 정문 계단으로 갔다. 1층 로비로 들어가 까치발로 벽을 따라 걸어갔다. 그리고 프란츠의 목줄 끝을 동그랗게 말아 집으로 난 문의 손잡이에 묶었다. 히아신스는 프란츠의 차가운 코에 뽀뽀를 했다.

"조용히 있어. 아주아주 조용히."

히아신스는 프란츠에게 속삭였다. 프란츠가 히아신스의 개암나무 색 눈을 쳐다봤다. 히아신스는 프란츠가 사태의 중요성을 이해했다는 걸 알았다.

히아신스는 슈퍼 첩보원 작전의 마지막 단계에 착수했다. 상자를 팔에 끼고 4층으로 향한 것이다. 비더먼 아저씨네 문 앞에 상자를 내려놓을 때는 손이 벌벌 떨렸다. 떨리는 걸 막으려고 주먹을 꽉 쥔 다음에 아주 잠깐 문 앞에 서 있다가 문을 두드렸다. 그리고 잽싸게 두 계단씩 내려와서 프란츠의 목줄을 문손잡이에서 뺀 다음 집으로 뛰어 들어갔다. 심장 뛰는 소리가 어찌나 크게 들리던지 4층 문이 열렸는지 안 열렸는지도 몰랐다.

19

밴더비커 가족 전체가 거실에서 쉬고 있을 때 아빠의 휴대전화가 울렸다. 아빠가 전화를 받자 아이들은 일제히 조용해졌다.

"여보세요? 비더먼 씨, 안녕하세요?"

아빠는 잠시 말을 멈추더니 다시 말했다.

"아, 정말요? 어제 그저께 아침에요? 전혀 몰랐습니다."

아빠가 아이들을 향해 '너희들! 해명할 게 많을 거야' 하는 눈빛을 쏘아대는 동안 엄마는 전화기에 귀를 가까이 가져갔다.

아이들은 뒤숭숭한 시선으로 서로를 바라보더니 후다닥 계단으로 향했다.

"저도 깜짝 놀랐습니다."

아빠는 아이들을 노려보며 말했다.

"저희 아이들 행동 같지 않네요. 창문으로 보셨다고요? 그렇군요. 아이들에게 얘기하겠습니다. 절대 있어서는 안 될 일이죠. 정말 죄송합니다."

도망 중인 아이들을 노려보는 아빠의 눈초리가 더욱 매서워졌다. 아빠는 엄한 표정으로 손가락을 들어 아이들을 가리키고 다시 아빠가

서 있는 곳 한 발자국 앞을 가리켰다.

"정말 죄송합니다, 비더먼 씨. 갑자기 이사를 하게 되니까 애들도 힘들었나 봅니다. 이해해 주세요."

아이들은 아빠가 가리킨 지점에 와서 바닥을 내려다보고 섰다.

"네, 물론입니다. 12월 31일 아마 오전에 이사 할 겁니다. 다시 한번 죄송합니다. 즐거운 크리스마스 보내시……."

아빠가 말을 멈추더니 전화기의 화면을 봤다.

"이 사람이 전화를 끊어 버렸어."

아빠는 투덜거리며 전화기를 탁자에 두었다. 그리고 천천히 아이들을 돌아보았다.

"나한테 할 말 없니?"

아빠는 아이들을 한 사람씩 번갈아 보며 물었다.

아무도 대답이 없었다.

"비더먼 아저씨가 전화하신 거야. 너희들이 함께 만든 탄원서가 있다고 하시더구나. 아저씨가 화가 아주 많이 나셨어."

이사는 손가락을 주물럭거렸고, 제시는 정면에 있는 벽의 갈라진 틈을 응시했다. 올리버의 눈은 두려움에 빠진 다른 아이들에게 향했고, 앉아서 프란츠의 귀를 쓰다듬는 히아신스의 눈에는 눈물이 고였다. 레이니만 침울한 갈색 눈으로 아빠를 올려다보았다.

"비더먼 아저씨가 노발대발하셨어. 탄원서뿐만 아니라 누군가가 —비더먼 아저씨 설명을 들어보니까 너희 친구인 알레그라인 것 같던데—비더먼 아저씨의 전화번호를 알아내서 이웃에 돌렸기 때문이다."

제시와 이사의 표정이 일그러졌다.

"사람들이 우리 집 계약을 갱신해야 한다고 종일 비더먼 아저씨에게 전화를 건 모양이야. 전화선을 아예 뽑아 버리셨대."

히아신스는 숨을 참고 아빠가 새끼 고양이 얘기를 꺼내기만 기다렸다. 하지만 아빠는 아무 말도 하지 않았다.

그때 올리버가 입을 열었다.

"그렇게 하면 아저씨가 우리를 그냥 살게 해 줄 거라고 생각했어. 우리를 사랑하는 이웃이 많다는 걸 알게 되면."

"너희들이 브라운스톤에 정이 많다는 거 알아. 엄마랑 나도 그렇고. 하지만 그런 일을 벌이면 안 돼. 비더먼 아저씨에게 상처가 되잖아. 너희들 모두 사과드려. 아저씨에게 사과 편지를 써서 문 밑으로 넣어. 더는 아저씨 괴롭히지 말고."

"탄원서는 내 생각이었어."

얼굴이 벌게진 이사가 설명했다.

"알레그라가 사람들에게 전화를 걸라고 한 줄은 몰랐어. 난 그냥 이 집이 우리에게 얼마나 소중한지 아저씨에게 보여 주고 싶었다고. 탄원서는 내 잘못이야. 미안해, 정말로."

이사는 다른 아이들을 바라봤다. 히아신스는 얼굴이 창백해졌고 레이니는 대놓고 울기 시작했다. 제시는 티셔츠에서 삐져나온 실오라기를 떼고 있었고, 올리버는 나무 바닥에 운동화 코를 갈고 있었다. 이사는 숨을 크게 들이마셨다.

"말할 게 있어."

이사가 입을 열자 올리버는 깜짝 놀라 이사를 바라보며 고개를 세차게 저었다. 이사는 올리버를 잠깐 쳐다보고는 말했다.

"그게 다가 아니었어……."

아빠는 더 이상 나쁜 소식을 들을 수 없다는 듯 고개를 떨어뜨렸다. 엄마는 한숨을 푹 쉬고 팔짱을 꼈다.

"우리 집을 보러 온 아저씨한테 거짓말을 했어."

이사가 다 죽어 가는 목소리로 말했다.

"반대 방향으로 가야 한다고 말했어."

그러자 올리버가 거들었다.

"그렇다고 기분이 좋았던 건 아니야."

엄마와 아빠가 눈길을 주고받는 사이 오랜 침묵이 흘렀다. 이윽고 아빠가 입을 열었다.

"잘하는 짓이다. 다음 주말에 집안일도 더 돕고 비더먼 아저씨에게 사과하는 편지도 써. 또 있어. 다음 세입자에게 무슨 짓을 했는지도 말해. 직접 만나서."

"하지만 아빠!"

제시가 저항했다.

"그만! 변명은 하지 마."

엄마가 대꾸했다.

"엄마 아빠는 너희들한테 실망했어."

"알았어, 아빠."

이사의 목소리가 떨렸다.

"제대로 사과할게."

이사는 실패의 무게가 무겁게 느껴졌다. 자신들이 브라운스톤에 살 만한 자격이 있다는 걸 비더먼 아저씨에게 보여 주는 데 실패하고 말았다. 브라운스톤을 지키는 데 실패하고 엄마 아빠를 실망시켰다. 실패, 실패, 실패!

아빠가 침묵을 깼다.

"너희들이 힘들다는 거 알아. 내가 할 수만 있다면……."

아빠는 말을 멈추더니 고개를 저었다. 그리고 말을 마치지 않고 두 팔을 벌렸다. 이사가 먼저 아빠 품에 뛰어들며 흐느껴 울기 시작했다. 잠시 뒤 다른 아이들과 엄마도 모여들어 지키지 못한 모든 것들을 함께 슬퍼했다.

✖·✖·✖·✖

아이들은 이사와 제시의 방에 모였다. 방에서는 겨울바람에 창문이 덜컹거리는 소리만 들렸다. 이사는 여전히 제시에게는 눈길도 주지 않고 말도 하지 않았다. 히아신스는 레이니가 '죄송해요. 사랑해요. 레이니'라고 편지를 쓰는 걸 도와주고 자신도 사과 편지를 쓰기 시작했다. 제시는 이사가 편지 봉투에 직접 만든 시디를 넣는 모습을 봤다. 편지 쓰기가 끝나자 아이들은 위층으로 터덜터덜 걸어 올라갔다. 히아신스는 새끼 고양이와 상자가 없어진 걸 보고 마음을 놓았다.

아이들은 한 명씩 돌아가면서 사과 편지를 문 밑으로 밀어 넣었다. 올리버는 로체스터 씨의 명함도 밀어 넣었다. 명함에는 포스트잇이 붙어 있었는데, 포스트잇에는 갈겨쓴 필체로 '이분이 브라운스톤에 살 자격이 있는 사람이에요.'라고 쓰여 있었다.

✖·✖·✖·✖

"크리스마스 맞을 준비된 사람?"

아이들이 비더먼 아저씨 집에서 내려오자 해리건 숙모와 아서 삼촌이 활짝 웃으며 거실에서 기다리고 있었다. 머리에는 산타클로스 모자를 쓰고 목에는 반짝이 장식을 두른 채였다. 해리건 숙모는 머리 모양이 또 달라져 있었다. 이번에는 밝은 붉은색으로 염색했고 뾰족뾰족한 쇼트커트였다. 희끗희끗한 턱수염을 기른 아서 삼촌은 체크무늬 남방과 물감이 흩어진 무늬의 청바지를 입고 있었다. 두 사람은 줄무늬 종이로 싸서 리본을 풍성하게 단 선물을 주렁주렁 달고 왔다.

아이들은 행복한 모습을 보여 주려고 최선을 다해 노력했다.

해리건 숙모는 아이들을 안으려고 잡아당기며 말했다.

"솔직히 말해서 너희들이 나를 만날 때 이렇게 침울한 반응을 보이다니 낯설다. 누구 생일 빼먹었니? 중요한 댄스파티나 농구 시합에 못 간 거야?"

아이들은 고개를 저었다. 그리고 한 사람씩 비더먼 아저씨 이야기와 이사간다는 소식을 들려주었다. 급하게 이사한다는 얘기를 아빠에게서 들었던 해리건 숙모는 책을 가득 넣은 상자 위에 걸터앉아 아이들의 이야기에 귀를 기울였다. 아이들의 이야기가 끝나자 침묵이 길어졌다. 해리건 숙모는 입술을 잘근잘근 씹으며 생각에 잠겼다. 아이들은 그런 숙모를 바라보며 뭔가 멋진 해결책이 나오지 않을까 기대했다.

이윽고 해리건 숙모가 한숨을 쉬며 입을 열었다.

"얘들아, 미안해. 숙모가 너희들을 도울 방법을 알면 좋을 텐데. 하지만 너희들이 너무너무 자랑스러워. 비더먼 아저씨에게 그렇게 좋은 일을 했으니 아저씨가 달가워하시지 않아도 의미 있는 일일 거야."

아이들은 고개를 끄덕였지만 숙모의 말을 믿지 않았다.

해리건 숙모는 일어나서 박수를 쳤다.

"이 집에서 보내는 마지막 크리스마스이브 만찬이 될 테니 정말 정말 멋지게 보내야겠지? 너희 엄마가 그러는데 숙녀분들이 — 그러면서 숙모는 쌍둥이를 보고 웃었다 — 저녁을 준비한다면서? 굉장한걸!"

올리버는 토하는 흉내를 냈지만 아무도 호응하지 않았다.

이사와 제시는 다시 저녁을 준비하러 갔고 해리건 숙모는 다른 아이들에게 아르마딜로 그리는 법을 가르쳐 주었다. 찾아온 손님들과 떠들썩한 브라운스톤의 분위기에 프란츠는 신이 나서 가만히 있지를 못했다. 프란츠가 그림에 침을 하도 흘리자 레이니가 나섰다.

"프란츠, 이리 와!"

레이니는 바로 옆 바닥을 손가락으로 꾹꾹 누르면서 엄한 목소리로 프란츠를 불렀다.

그런데 프란츠는 레이니의 명령을 무시했다. 프란츠는 히아신스 말만 듣기 때문이다. 그 대신에 파가니니가 구두 상자에서 나와 레이니 발밑까지 미끄러져 왔다.

"잘했어!"

레이니는 신이 난 파가니니를 칭찬했다.

해리건 숙모는 깜짝 놀랐다.

"토끼가 이제 말도 알아듣니?"

그러자 올리버가 비웃었다.

"저 토끼요? 뇌가 도토리만 할 걸요?"

레이니는 오빠한테 항의도 하고 싶고 동시에 눈물이 터질 것만 같았다. 다행히 엄마가 거실에 들어와 모두에게 얘기를 전하는 바람에 둘 다 피할 수 있었다.

"제시 할머니랑 방금 통화했는데, 계획을 변경할 거야. 오늘 저녁은 할머니 댁에서 먹기로 했어. 그러는 게 좋겠어. 지금 여기는……."

엄마는 거실에 불안하게 쌓인 상자 무더기를 가리키며 말했다.

해리건 숙모는 준비를 거들러 엄마와 함께 3층으로 올라갔다. 아빠와 아서 삼촌은 접이식 탁자와 의자 열 개 정도를 옮겼다. 레이니는 파가니니를 캐리어에 담았다. 엄마는 레이니에게 파가니니가 집에 있어야 더 편할 거라며 말렸지만 소용없었다. 이사와 제시는 옷을 갈아입으러 방으로 올라갔다.

아서 삼촌이 의자를 더 가지러 내려왔을 때 음식을 검사하는 올리버를 봤다.

"오늘의 판결은?"

올리버는 아서 삼촌이 쌍둥이가 만든 먹을 수 있는 음식과 먹을 수 없는 음식의 통계를 말하는 걸 금세 알아챘다(현재 쌍둥이의 성공률은 43퍼센트다).

"먹기가 겁나요."

올리버는 시커멓게 그을린 야채를 건드리며 대답했다.

"어떻게 맛없을 수가 있어? 나 어릴 적에는 너희 할머니가 튀긴 토끼 간을 페퍼젤리랑 같이 먹게 했어. 너희들은 호강하는 거야. 우린 좋은 날에만 탄 야채를 먹을 수 있었어."

올리버는 비프스튜에 국자를 집어넣었다.

"이 스튜 한 입만 먹으면 삼촌이 토끼 살인마였다는 말 레이니랑 히아신스한테 안 할게요. 절대 뱉으면 안 돼요."

올리버는 국자를 삼촌에게 내밀었다.

"도전!"

"쳇! 이렇게 쉬운 도전도 있냐!"

아서 삼촌은 코웃음을 치며 올리버에게서 국자를 받아 스튜를 먹었다. 잠시 혀가 맛을 느낄 때까지 기다리던 삼촌은 싱크대로 뛰어가 스튜를 뱉어 버렸다.

"아이고, 짜! 무…… 물!"

"캐슬먼 베이커리에서 빵이라도 샀으니 다행이에요."

"빵과 물이 저녁이라니. 디킨스 소설이라도 되냐!"

브라운스톤에서 보내는 마지막 크리스마스이브인데 정말 너무한다.

20

이사와 제시는 방에서 조용히 옷을 갈아입고 음식이 묻은 옷은 빨래 바구니에 던져 넣었다. 바깥에서는 윙윙 바람 소리가 들렸다. 이사가 바이올린을 들고 방을 나가자 제시는 혼자 생각에 잠겼다.

어제 이사가 화를 내며 했던 말이 계속 떠올랐다.

'나 대신 결정을 내릴 권리가 너한테 있다고 생각해? 우린 달라.'

제시는 베니가 댄스파티에 다른 애를 데려간다는 얘기를 듣고 이사가 흘리던 눈물이 생각났다. 이사는 정말 베니를 좋아하는 걸까? 이사와 베니가 이사가기 전까지 화해하지 못하면 어쩌지?

제시는 방을 둘러봤다. 이 방에서 밤늦게까지 소곤소곤 수다를 떨던 기억, 베개로 터져 나오는 웃음을 막던 기억이 스쳐갔다. 제시는 완벽하게 정리된 이사의 침대, 헝클어진 이불과 담요가 널브러져 있는 자기 침대를 번갈아가며 바라봤다. 커다란 창문이 있는 방구석에는 느슨한 바닥 판자가 보였다. 제시와 이사는 5년 전에 이 판자를 발견해서 그 밑에 보물이 숨겨져 있다고 믿었었다. 지금은 그곳에 엄마가 빼앗아가지 못하도록 할로윈 사탕을 숨겨둔다.

제시는 한숨을 크게 쉬었다. 비더먼 아저씨 문제를 도저히 풀 수 없었다. 이사 문제도 해결할 수 없었다. 하지만 베니 문제는 해결할 수 있는 것이었다.

⁕·⁕·⁕·⁕

바이올린 케이스를 어깨에 둘러맨 반 허슨 선생님이 저녁 식사가 시작되기 직전에 도착했다. 날이 춥다고 말하며 모자를 벗자 헝클어진 머리가 드러났다. 선생님은 어른들과 인사를 나누고 아이들과는 포옹을 했다. 또 프란츠에게는 입맞춤을 했다.

음식과 식기를 나르느라 계단을 수없이 오르내린 뒤에 마침내 식탁이 완성되었다. 해리건 숙모도 음식을 만들어 가져왔다. 설탕물을 발라 구운 햄과 밀가루를 쓰지 않은 초콜릿 케이크였다. 조지 할머니는 케일 한 그릇과 남부식 옥수수 빵을 내오셨다.

아이들이 브라운스톤의 마지막 크리스마스이브 만찬을 위해 자리에 앉자 침울한 분위기가 무겁게 내려앉았다. 아빠는 축복의 기도를 하고 손님들에게 와줘서 고맙다고 인사를 했다. 요리사들-이사와 제시는 마치 1년치 설거지 벌을 받기라도 한 듯한 표정으로 앉아 있었다-에게 박수를 보낸 다음에 식사가 시작되었다.

올리버는 비프스튜가 오자 핑계를 대고 건너뛰었다. 그리고 다른 사람들이 한 국자 가득 퍼서 그릇에 담는 걸 남몰래 지켜봤다. 그런데 아무도 스튜를 뱉는 사람이 없자 국자로 스튜를 조금 퍼서 그릇에 담고 홀짝 먹어봤다. 뭐야? 짜지 않잖아! 어떻게 된 거야?

해리건 숙모가 올리버의 어깨를 쿡 찌르더니 윙크를 했다.

"물이랑 육수를 조금 더 넣었더니 놀라운 일이 벌어졌지."

"아!"

올리버는 숟가락을 들고 손짓을 하는 아서 삼촌을 바라봤다.

"이걸로 먹을 수 있는 음식의 퍼센트가 쑥 올라갈 것 같네요."

해리건 숙모가 어깨를 으쓱했다.

"나야 할 일을 한 거지."

밴더비커 가족의 크리스마스이브 만찬이 이렇게 우울한 건 처음이었다. 모든 창문이 바람에 불안하게 흔들렸고 그러자 식탁의 분위기는 더 내려앉았다. 대화는 주로 어른들이 이어갔고, 어른들이 질문하면 아이들은 한 단어로 대답을 끝냈다. 레이니만 빼고. 레이니는 머리에 떠오르는 생각을 생중계로 떠들어댔다.

식사는 오래 가지 못했다. 모두 입맛이 없었다. 지트 할아버지가 몸을 기울여 비밀이라도 털어놓듯 레이니에게 말을 건넸다. 레이니가 고개를 끄덕이자 할아버지는 모두에게 알렸다.

"여러분을 위해 특별히 준비한 게 있습니다. 한 자리에 모여 주세요."

레이니가 야자나무 화분 밑에서 파가니니를 찾았다. 목에 둘렀던 쾌활한 나비넥타이는 사라지고 없었다. 레이니는 당근 조각으로 파가니니를 꾀어서 거실 중앙으로 갔다.

"자, 이제부터 유명한 파가니니의 위대한 쇼가 펼쳐집니다!"

레이니는 귀를 손질하고 있는 파가니니를 가리켰다. 사람들은 어리둥절한 상태로 파가니니를 바라봤다. 뭘 하려는지 도무지 감을 잡지 못했다.

"파가니니가 얼마나 똑똑한지 보여 줄게요."

레이니가 말하자 물을 들이키던 올리버는 기침을 했고 아서 삼촌이 등을 두드려줬다.

레이니는 거실을 가로질러 반대편에 서서 명령했다.

"파가니니, 이리 와!"

그러자 파가니니가 레이니에게 껑충껑충 뛰어가서 앞발을 들고 앉았다. 사람들은 좋아하며 박수를 치고 고개를 끄덕였다. 파가니니가 생각과는 달리 명령을 잘 따르는 게 신기했다.

"잘했어, 파가니니!"

레이니가 당근을 주며 외쳤다.

"어쩐지 토끼가 재미있더라니까."

해리건 숙모는 아서 삼촌에게 소곤거렸다.

"이제 다른 걸 보여 줄게요."

레이니는 지트 할아버지에게서 열 걸음 멀어졌다. 그러자 파가니니는 레이니를 따라갔다. 할아버지가 동그란 자수틀을 바닥 위 3센티미터 높이에 들고 있었다.

"파가니니, 뛰어!"

할아버지가 외치자 파가니니는 지그재그로 할아버지한테 뛰어와서 자수틀 사이로 깔끔한 점프를 했다. 엄마는 입이 쩍 벌어졌다. 아빠는 활짝 웃었다. 올리버마저도 놀란 눈치였다.

사람들이 조용해지자 레이니는 다시 명령을 내렸다.

"파가니니, 누워!"

그러자 파가니니는 옆으로 벌렁 누웠다. 큰 귀가 눈을 덮었다. 사람들은 환호성을 질렀다.

"마지막이에요."

레이니가 말하자 지트 할아버지는 몸을 기울여 장난감 피아노를 바로 앞 바닥에 놓았다.

"파가니니, 피아노 쳐!"

그러자 파가니니가 재빨리 일어나서 피아노로 껑충껑충 뛰었다. 그러더니 앞발을 건반 위에 올려서 건반을 누르자 희한한 음이 울려퍼졌다. 그 순간만큼은 아이들 모두 걱정거리를 잊은 채 어른들과 함께 박수도 치고 소리도 질렀다. 지트 할아버지와 레이니는 나란히 서서 손을 잡고 허리를 굽혀 인사했다.

"앙코르, 앙코르!"

아빠가 소리쳤다. 제시는 식탁 위에 있던 화병에서 꽃을 꺼내 레이니의 발 앞에 놓았다. 파가니니가 꽃을 먹으려 하자 할아버지가 몸을 숙여 꽃을 구하고 레이니에게 고개를 끄덕여 보이며 꽃을 전해줬다. 레이니는 일곱 번이나 인사를 한 다음에 엄마 품에 뛰어들었다.

파가니니의 쇼로 시끌벅적해지자 처음에는 아무도 천장에서 발 구르는 소리가 나는 줄 몰랐다. 쾅쾅쾅 짧게 발을 구르는 둔탁한 소리가 멈췄다가 다시 들리기를 반복했다.

엄마가 아빠에게 몸을 기울였다.

"이 소리 들려?"

지트 할아버지에게 잘하셨다고 얘기 중이던 아빠가 말을 멈추고 귀를 기울였다.

쿵쿵거리는 소리가 다시 들렸다.

"위에서 나는 소리 같아."

엄마가 불안한 목소리로 말했다.

레이니와 파가니니의 쇼로 기분이 좋아졌던 이사도 긴장했다. 눈에서 레이저를 발사해서 위층 이웃을 죽이기라도 할 듯이 천장을 노려봤다. 나머지 사람들도 하나둘씩 위를 올려다봤다.

"아빠, 쿵쾅거리는 소리 뭐야?"

레이니가 묻자 조지 할머니가 변명하듯 대신 대답했다.

"우리 집에 손님들이 오면 가끔 저런단다. 우리가 너무 시끄럽게 했나봐."

방 안에 있던 모든 사람이 일제히 할머니를 바라봤다.

"비더먼 씨 말이에요?"

반 허슨 선생님이 묘한 표정을 지으며 물었다.

"바닥을 발로 차요?"

엄마가 충격을 받고 물었다.

"비더먼은 물러가라!"

올리버가 불끈 쥔 주먹을 들어 올리며 외쳤다.

조지 할머니는 사과를 하려는 듯 두 손을 들었다.

쿵쿵거리는 발소리가 더 크게 들려오자 방은 화가 난 사람들로 웅성거렸다.

이사는 의자에서 벌떡 일어났다. 그리고 문 옆에 둔 바이올린을 들더니 문을 홱 열고 계단을 성큼성큼 올라가 비더먼 아저씨네 문 앞에 섰다. 이사는 가족들이 허겁지겁 뒤따라 올라오는 소리를 어렴풋이 들었지만 아랑곳하지 않고 문을 쾅쾅 두드렸다.

그러자 마치 비더먼 아저씨가 이사를 기다리기라도 한 듯 문이 끼이익 소리를 내며 열렸다.

"뭐야?"

으르렁대는 아저씨의 눈이 매섭게 빛났다. 까만 옷을 입은 아저씨의 그림자가 이사의 머리 위로 어렴풋이 나타났다. 바깥에서는 브라운스톤 주위로 바람이 윙윙 불었다.

평소처럼 깔끔하게 정돈된 머리 위로 분노의 후광이 솟아오른 이사는 바이올린 활로 비더먼 아저씨의 차가운 심장을 가리켰다.

"아저씨."

이사는 낮고 위협적인 목소리로 말했다.

"아저씨는 끔찍하고 불평 많고 나쁜 아저씨예요. 조지 할머니랑 지트 할아버지에게 못되게 굴고요. 우리를 아무 이유도 없이 쫓아내고 그것도 모자라서 우리가 이 집에서 보내는 마지막 크리스마스를 망쳐요?"

이사는 머리를 어깨 너머로 보내고 바이올린을 들어서 눈을 질끈 감았다. 그리고 활을 바이올린 줄에 놓았다.

곡은 <레 퓌리>, 분노였다. 이사의 연주는 냉혹하고 가차 없었다. 마치 자기 자신의 분노, 실망, 환멸, 외로움과 대결하는 것 같았다. 이사를 감싸는 브라운스톤도 거친 바람과 이사의 분노에 대비하는 것 같았다.

이사는 잔인한 비더먼 아저씨 때문에 연주했다.

엄마 아빠, 다른 아이들을 실망시켜서.

베니가 자기를 미워해서.

사랑하는 집을 떠나야 해서.

세상에서 가장 사랑하는 쌍둥이 자매이자 최고의 친구와 싸워서.

작전이 실패해서, 그리고 이제는 할 수 있는 일이 아무것도 없어서 연주했다.

브라운스톤 전체에 바이올린 선율이 폭발했다. 벽돌로 만든 벽이 진동하고 공기가 타닥타닥 가볍게 튀었다. 브라운스톤이 전율하며 몸을 떨었다. 바깥에서는 폭포수가 서로 미친 듯이 부딪히며 금속이 부서지는 소리를 냈다. 벽이 무너질 것만 같은 클라이맥스가 지나자 긴장이 풀어지기 시작했다. <분노>를 굴복시키려는 듯 이사의 바이올린 소리가 아주 미묘하게 부드러워졌다. 그리고 조용히, 아주 조용히 이사의 활이 <백조>의 첫 마디로 미끄러져 갔다. <분노>로 분노한 마음이 가라앉았다면 <백조>는 다시 은총이 자리할 공간을 열어 주었다.

바깥바람도 잦아들고 브라운스톤도 안도의 숨을 내쉰다.

이사의 활은 곡의 마지막 부분으로 접어들면서 느려지더니 마지막 천상의 높은 음에서 멈췄다. 활이 바이올린을 떠났지만 그 울림은 브라운스톤 전체에 여전히 남아 있었다.

눈을 뜬 이사는 자신이 어디에 있는지 깨닫지 못했다. 창백하다 못해 투명해 보이는 낯빛의 비더먼 아저씨가 이사 앞에 서 있었다. 이사는 바이올린을 내려놓고 자기도 모르게 비더먼 아저씨의 어깨를 잡았다. 비더먼 아저씨는 뒤로 물러서며 이사를 비참하고 촉촉이 젖은 눈으로 바라보았다.

"미안하다."

비더먼 아저씨는 쉰 목소리로 말하고는 이사와 이사의 바이올린을 한참 응시했다.

그러고는 이사 앞에서 문을 닫아버렸다.

21

이사는 무거운 발걸음으로 계단을 내려왔다. 가족과 친구들이 그런 이사를 말없이 지켜봤다. 이사의 발이 계단 아래 닿자마자 히아신스, 레이니, 올리버, 반 허슨 선생님, 엄마, 아빠, 지트 할아버지, 조지 할머니, 해리건 숙모, 아서 삼촌이 이사를 껴안았다.

"어떻게 된 거야?"

조바심이 난 올리버가 이사의 팔을 잡아당기며 물었다.

"이사, 무서웠어? 아저씨 봤지? 늑대인간 맞지?"

히아신스는 까치발로 폴짝폴짝 뛰며 물었다.

"우리 딸, 괜찮은 거지?"

아빠는 걱정하며 이사의 턱을 쥐고 물었다.

"내가 들은 최고의 <분노>였어!"

반 허슨 선생님은 눈가를 훔치면서 감탄했다.

"레슨 때도 그렇게 연주하면 좋겠다."

조지 할머니는 이사를 집 안으로 데리고 들어갔고, 지트 할아버지는 이사의 손을 토닥토닥 두드렸다.

아무 말도 건네지 않고 이사를 안아 주지 않은 유일한 사람은 제시뿐이었다. 사실 제시는 가고 없었다. 거실을 둘러본 이사는 제시를 찾아 부엌으로 들어갔다. 열린 창 바깥에서 뭔가가 움직였다. 이사는 창가에 얼굴을 들이대고 밖을 살핀 다음 비상계단으로 나갔다.

"왔어?"

제시가 아는 척을 했다. 제시는 첫 번째 계단에 앉아 있었다. 바람도 비도 그쳤지만 나뭇가지에서 큰 물방울들이 제시 머리 위로 후두둑 떨어졌다.

"여기 있었네?"

이사는 폭포수를 올려다보며 말했다. 관이 여기 저기 벽에서 떨어져 나와 찢겨 있었고 물레방아 두 개와 풍경 전부가 사라졌다.

"폭풍우 때문이야."

제시가 망가진 폭포수를 바라보는 이사에게 설명했다.

그리고 한동안 침묵이 흘렀다.

"위에서 아주 멋졌어."

제시가 결국 입을 열었다.

이사는 아무 말이 없었다.

"이사, 제발……."

이사는 고개를 저었다.

"네가 왜 그랬는지 해명이 필요해."

제시는 침을 꿀꺽 삼켰다. 그리고 헤진 운동화로 시선을 떨궜다.

"널 마음 아프게 하려는 건 아니었어. 사실 네가 정말 댄스파티에 가고 싫어 할지 몰랐어. 네가 가고 싶다는 걸 알았을 땐…… 나도 모르겠어. 널 잃는 것 같은 기분이 들었어. 그게 이사가는 것보다 더 무서웠어."

제시는 말을 마치고 이사를 올려다봤다.

"제시……."

이사는 제시에게 다가가며 작은 목소리로 말했다.

"난 언제나 네 곁에 있을 거야."

제시가 희망에 부푼 눈으로 이사를 쳐다봤다.

"그렇다고 화가 풀린 건 아니야."

이사가 경고를 날렸다.

"널 용서한 건지 잘 모르겠다고."

"앞으로 내가 잘할게."

제시가 다짐했다.

"다음 달에 목요일마다 저녁은 내가 할게."

이사는 잠시 생각해 보더니 고개를 저으며 팔짱을 꼈다.

"난 모욕을 당했어. 그걸 잊어버릴 수 있을지 모르겠어."

"좋아! 그럼 너 대신 내가 욕실 청소할게."

"얼마 동안?"

"한 달!"

이사는 제시 어깨 너머를 응시했다.

"알았어. 석 달 하면 되잖아."

이사가 드디어 입가에 옅은 웃음을 지었다.

"좋아."

"뭐가?"

"다 좋다고."

✖•✖•✖•✖

아빠가 목청을 가다듬었다.

"다 같이 건배할까요?"

모두 조용해지자 아빠는 와인 잔을 들어 올렸다.

"이 집에 살면서 좋은 날들을 보냈어요. 이보다 더 좋은 이웃을 만날 수 없을 겁니다."

아빠는 조지 할머니와 지트 할아버지에게 고개를 끄덕이며 인사를 했다.

"더 좋은 가족도요."

이번에는 해리건 숙모와 아서 삼촌을 바라봤다.

"그리고 더 좋은 선생님도요."

마지막으로 아빠는 반 허슨 선생님을 바라봤다.

"아이들을 기르는 것은 그저 좋은 부모가 되고 옳은 일을 하려고 노력하는 것만은 아니라고 생각해요."

아빠의 목소리가 떨리기 시작했다.

"아이들에게 과학 실험 도구와 잼 쿠키, 웃음과 즐거움, 아름다운 경험을 가져다줄 사람들과 함께 지낼 수 있도록 만들어 주는 것이죠. 저와 제 가족에게 우정과 사랑의 선물을 주셔서 진심으로 감사합니다."

조지 할머니는 레이스 손수건으로 터져 나오는 눈물을 닦았고, 지트 할아버지는 눈물이 가득 고인 눈으로 딸꾹질을 했다. 반 허슨 선생님은 냅킨으로 코를 풀었고, 해리건 숙모는 옷소매로 눈물을 훔쳤다. 아서 삼촌은 레이니를 안아서 고개를 파묻어 눈물을 숨겼다.

이사는 다른 아이들을 바라봤다. 비더먼 작전은 공식적인 실패로 남았다. 슬픔에 잠긴 이사는 심장이 터질 것만 같았다.

"비더먼 작전은 성공하지 못했어. 하지만 이 일로 우리 집이 그저 생활하는 공간만은 아니라는 걸 깨달았어."

이사는 아이들에게 웃어 보였다.

"우리가 어디에 살든 밴더비커라는 게 좋아."

연설이 끝나자 레이니는 돌아다니며 입맞춤과 포옹을 했고 이내 모두가 식탁으로 돌아갔다. 입맛이 돌아오자 다들 음식을 더 먹었다. 식사를 마치고 디저트가 시작되었을 때 이사는 식탁에서 그릇을 치워 부엌으로 가져갔다. 그때 반 허슨 선생님이 이사를 옆으로 데려갔다.

"이사, 비더먼 씨에 대해서 말해 줄 게 있어."

"뭔데요?"

접시만큼 큰 초콜릿 케이크를 든 올리버가 옆을 지나다가 두 사람의 대화를 엿듣고 물었다.

"비더먼 아저씨라고 했어요?"

제시가 부엌에 서서 물었다.

"우리 빼고 비더먼 아저씨에 대해서 의논하면 안 돼요."

히아신스는 디저트 탁자에서 당근 케이크에 손가락을 찌르고 있던 레이니를 데려오며 말했다.

반 허슨 선생님은 이사의 손에서 접시들을 받아 옆 탁자에 올려놓고 저음의 목소리로 말했다.

"나는 여기 집주인이 비더먼 씨인지 꿈에도 몰랐구나."

아이들은 숨을 죽였다.

"나는 비더먼 씨와 알고 지낸 사이였어. 오래전이지만……. 하도 오래전이라 비더먼 씨가 사는 집인지도 잊어버렸네."

선생님은 갑자기 말을 멈췄다.

"부인과 딸의 사연은 저희도 알아요. 교통사고요."

이사가 말했다.

"무슨 교통사고?"

제시, 올리버, 히아신스, 레이니가 동시에 외쳤다.

"캐슬먼 아주머니가 신문 기사를 주셨어. 두 사람이 교통사고로 세상을 떠났대."

이사가 설명하자 반 허슨 선생님은 깊은 안도의 숨을 내쉬었다.

"그러니까 다 안다는 거지? 하지만 아저씨의 딸 루시애나가 바이올린 연주자였다는 건 모를걸. 내 학생이었어."

"바이올린 연주자요?"

아이들이 일제히 외쳤다.

"재능이 아주 많은 아이였지. 이사야, 너를 보면 항상 루시애나가 떠올랐어. 특히 네가 어렸을 땐."

"소름!"

제시가 나직이 말했다. 다른 아이들도 맞장구치듯 고개를 끄덕였다.

"네가 연주하는 바이올린이…… 너도 알지? 그 바이올린이 우리 집에서 대대로 내려왔다는 거? 내가 루시애나한테도 빌려줬던 거야. 그런데 아이가 갑자기 세상을 떠나는 바람에……."

선생님이 잠시 말을 멈췄다가 다시 이어나갔다.

"비더먼 씨는 루시애나를 떠올리는 건 무조건 피하려 하셨어. 그래서 바이올린을 내게 돌려주셨지. 그 다음에는 바이올린이 내내 우리 집 벽장 속에 있었는데…… 이사, 네가 나타난 거야."

이사는 멈추고 있었는지도 몰랐던 숨을 내뱉었다.

"이 사실을 네가 알아야 할 것 같아서."

이사는 선생님의 목소리가 아주 멀리서 들려오는 것 같았다. 긴 터널 저편에서 다른 누군가에게 말하는 목소리였다. 비더먼 아저씨의 딸. 반허슨 선생님의 바이올린. 이사의 바이올린. 루시애나의 바이올린. 나와 똑같은 나무를 만지고, 똑같은 진동을 느끼고, 똑같은 소리를 들은 루시애나.

드디어 모든 게 앞뒤가 들어맞았다.

⁂

마지막까지 남았던 손님들이 돌아가고 조지 할머니와 지트 할아버지의 집이 원상태로 복귀되자 엄마와 아빠는 아이들을 모아 내려가서 잘 준비를 하라고 시켰다.

이사는 잠옷으로 갈아입고 이를 닦으러 욕실로 향했다. 욕실에는 이미 제시와 올리버가 와 있었다. 올리버는 치약 거품이 가득한 입으로 뭔가를 중얼거렸다.

"뭐라고?"

이사가 묻자 올리버가 치약을 뱉고 대꾸했다.

"비더먼 아저씨가 안 됐다고."

"이런 말을 하게 될 줄 몰랐지만 나도 아저씨가 안 됐어."

제시가 흐르는 물에 칫솔을 씻으며 말했다.

"내가 올라갔을 때 아저씨 표정이 어땠는지 너희도 봤어야 해."

이사는 치약을 짜면서 말했다.

"문을 열었을 때 아저씨는 소리 지르고 화를 내면서 얼굴이 새빨갰었는데 내가 <백조>를 연주하니까 갑자기 창백해지는 거야. 그런 표정은 생전 처음 봐. 꼭 유령을 본 표정이었어."

올리버는 입을 닦았다.

"유령을 본 거나 다름없지. 루시애나의 유령. 으으으…… 무서워."

올리버는 고개를 저으며 말했다.

"반 허슨 선생님의 바이올린으로 연주했었다는 것도 너무 이상하고."

이사가 맞장구를 쳤다.

"똑같은 바이올린으로 말이야. 이 바이올린은 소리가 아예 다른 거 알아? 나무가 하도 오래돼서 아주 아름다운 낭랑한 소리가 나. 비더면 아저씨도 틀림없이 바이올린을 알아봤을 거야. 아저씨가 딸을 연상시키는 걸 피한다고 선생님이 말했을 때 닭살이 쫙 돋더라니까. 괜히 올라가서 딸이 썼던 바이올린으로 아저씨 앞에서 연주한 게 아닌가 이젠 후회 돼. 아저씨에게 나쁜 기억을 모조리 퍼부은 셈이잖아."

제시는 이사와 올리버의 어깨에 팔을 올리며 말했다.

"일부러 그런 것도 아니잖아. 어쩌면 우리가 이곳을 떠나서 아저씨의 마음이 편해지는 게 가장 좋은 일일지도 몰라. 아저씨를 피하려고 그렇게 노력했었는데, 이젠 아저씨의 기분이 나아졌으면 해."

"나도야."

이사가 대꾸했다.

"나도."

올리버도 똑같이 대답했다.

✖·✖·✖·✖

잠시 뒤에 이사와 제시는 두툼한 이불 밑에 편안히 들어가 있었다. 그때 이사가 말했다.

"이렇게 끝났네. 브라운스톤에서 보내는 마지막 크리스마스이브."

라디에이터에 열을 운반하는 파이프들이 쉴 새 없이 벽 속에서 우당탕거렸다.

"비더먼 아저씨를 위해서 뭔가 해야 될까? 이제 우리도 다 알았으니……."

제시가 물었다. 이사는 책상에 세워 둔 바이올린을 바라보며 말했다.

“우리가 할 수 있는 일은 아저씨가 내내 원했던 대로 조용하게 사시게 두는 것뿐이야.”

“하룻밤에 가족을 다 잃었으니 어떨까 싶어. 그 생각을 떨칠 수가 없어.”

제시는 이불 밑에서 중얼거렸다.

“나도 마찬가지야.”

이사는 이렇게 대답하면서 침대 옆으로 팔을 뻗쳐 등을 껐다. 방 안에 어둠이 내려앉았다.

“잘 자, 이사.”

“너도, 제시.”

이사는 침대에 누워 마음을 편안히 하고 익숙한 방 안의 풍경을 찬찬히 살펴봤다. 천장에는 동유럽 지도 모양의 균열이 있고, 창밖에 있는 가로등이 침대 사이로 길고 네모난 빛을 비추고 있었다. 라디에이터에서 나오는 따뜻한 공기로 이불이 포근하고 편안하게 느껴졌다.

옆에는 금세 잠이 들어 쌕쌕거리는 제시가 있었다.

침대 뒤에 있는 벽의 벽돌에는 불규칙한 흠들이 있었다.

브라운스톤의 벽 안에는 휘파람 소리를 내는 파이프들이 있었고, 계단을 올라와 아이들 방을 몰래 들여다보는 엄마 아빠의 낮은 속삭임도 있었다. 멀리서 자동차 경보음과 개 짖는 소리가 들렸다.

곧 작별 인사를 해야 할 집이 바로 이런 곳이었다.

12월 25일 수요일

22

가장 먼저 눈을 뜬 건 올리버였다. 크리스마스 아침마다 크리스마스 트리 밑에 어떤 선물이 쌓였는지 살펴보려고 일찍 일어나던 버릇을 버리지 못했다.

올리버는 계단에서 끼익끼익 소리가 나지 않도록 조심스럽게 내려가서 아서 삼촌과 해리건 숙모가 안방을 차지한 탓에 소파에서 코를 골며 자는 아빠를 바라봤다. 엄마는 레이니와 히아신스 방에서 자고 있었다. 아빠가 깊은 잠에 빠져 있는 걸 보고 안심한 올리버는 크리스마스 트리 밑에서 자기 이름이 적힌 선물을 찾았다. 엄마 아빠가 준비한 무겁고 작은 상자는 분명 책 전집일 것이다. 올리버는 그게 『반지의 제왕』 3부작(+『호빗』)이기를 바랐다. 그밖에도 쌍둥이 누나가 준비한 선물과 레이니가 준비한 종잇장처럼 얇은 선물도 있었다. 히아신스의 커다란 선물은 히아신스가 아주 아끼는 리본으로 예쁘게 포장되어 있었다.

가족들이 준비한 선물을 바라보던 올리버는 갑자기 이상한 기분이 들었다. 그건 아빠가 올리버와 아이들을 비더먼 아저씨 때문에 혼냈던 전날 느꼈던 새로운 감정이었다. 올리버는 자신이 준비한 선물을 내려다봤다. 낡은 신문지로 아무렇게나 말아 놓은 손 세정제, 고무줄, 오래된 사탕 하나가 전부였다. 결코 자랑스러운 선물이 아니었다. 엄마 아빠가 고른 책이나 히아신스가 오랜 시간 공들여 짠 이상한 편물과는 비교할 수 없었다. 가족들의 선물에는 사랑이 담겨 있었지만 올리버의 선물에는…… 아무것도 없었다.

올리버는 원래 주려던 선물들을 집어서 방으로 뛰어 올라갔다. 방에 들어온 올리버는 선물을 쓰레기통에 버리고 종이 여섯 장을 집어서 뭔가를 적기 시작했다.

ж•ж•ж•ж

크리스마스 아침이 되자 잠에서 깬 제시는 자기 방, 자기 침대에 있다는 걸 깨닫고 안심했다. 맞은편에서 이사도 기지개를 펴고 있었다.

"일어났어? 무슨 일 있어?"

이사는 방금 깬 쉰 목소리로 물었다.

"크리스마스 아침이잖아."

제시가 대답했다. 때마침 히아신스와 레이니가 방에서 튀어나와 깔깔거리며 계단을 뛰어 내려가는 소리가 들렸다. 그 뒤로 엄마의 차분한 발소리가 들렸다. 아이들은 소파에서 자고 있던 아빠에게 몰려갔는데, 아빠는 갑자기 깨며 소리를 질렀다.

"늑대와 미어캣을 무찌르자!"

프란츠가 몇 초 뒤에 아이들을 따라 내려왔다. 치사하게 자기만 빼놓고 소동이 벌어진 것 같아 밑으로 달려 내려오자 나무 바닥에 발톱 긁히는 소리가 났다.

이사와 제시는 작은 발걸음이 계단을 올라와서 복도를 오가는 소리를 들었다.

"오늘 크리스마스야! 오늘 크리스마스라고! 선물 뜯어볼 시간이야!"

레이니가 다시 계단을 뛰어 내려가며 외쳤다.

제시와 이사는 후드 티를 입고 올리버에게 달려갔다. 마침 올리버도 방을 나서는 참이었다.

"그게 뭐야?"

이사는 올리버가 쥐고 있는 봉투들을 가리켰다.

"곧 알게 될 거야."

올리버는 애매하게 답했다.

아래층에서는 레이니가 엄마의 팔을 잡아당기며 아침 먹기 전에 선물을 열어보게 해달라고 조르고 있었다. 히아신스는 크리스마스트리 옆에 앉아서 자신이 준비한 선물에 장식을 덧붙이고 있었다.

"지금 선물을 열어 보는 게 좋겠네."

엄마가 결국 물러섰다.

"해리건 숙모랑 아서 삼촌은 여섯 시 반까지 주무시게 두자."

아이들은 크리스마스트리 주변에 모였다.

"내 선물을 먼저 주고 싶어."

올리버가 말을 꺼냈다.

가족들은 할 말을 잃었다. 올리버는 지금까지 단 한 번도 가장 먼저 선물을 주겠다고 한 적이 없었다. 가족들이 놀란 눈으로 지켜보는 가운데 올리버가 의문의 봉투를 하나씩 나눠 주었다.

히아신스가 가장 먼저 봉투를 열고 종이에 적힌 내용을 소리 내어 읽었다.

"30분 동안 단추 구경할 수 있는 쿠폰."

고맙다는 말을 할 수 없을 정도로 감동한 히아신스는 기뻐하며 올리버를 껴안았다. 올리버는 그런 히아신스를 떼어 놓은 다음 주머니에서 하트 모양의 단추 세 개를 꺼내 히아신스에게 건넸다. 히아신스가 아무 말이 없자 올리버는 그것을 긍정적인 신호로 해석했다.

레이니는 카드를 읽는 데 도움이 필요했다. 이사가 카드를 보고 대신 읽어 주었다.

"책 다섯 권 큰 소리로 읽어 주기 쿠폰."

레이니는 자신이 지어보일 수 있는 가장 환한 웃음을 지었다. 그 웃음을 보자 올리버는 레이니에게 큰 소리로 책을 읽어 주는 게 생각만큼 나쁜 아이디어는 아니라는 생각이 들었다. 짧은 책이기만 하다면…….

이사와 제시도 카드를 읽었다.

"한 달 동안 이사와 제시의 요리를 비웃지 않기."

이사와 제시는 깜짝 놀랐다. 가족들 모두 그것이 올리버에게 얼마나 큰 노력인지 알기 때문이다.

올리버는 어깨를 으쓱했다.

"그게 가장 힘든 거였어."

엄마의 쿠폰에는 '무료 급식소에서 1회 자원봉사 하기'라고 쓰여 있었고, 아빠의 쿠폰에는 '잔디 깎기 1회 도와주기'라고 적혀 있었다. 엄마 아빠의 얼굴에 아들을 자랑스러워하는 표정이 나타나자 올리버는 손발이 오그라들 것 같았다.

"그럼 날 위해 준비된 선물은 뭐지?"

올리버는 분위기를 바꾸며 이미 어디 있는지 알고 있는 자기 선물에 손을 뻗쳤다.

가족들은 함께 나머지 선물도 풀어보며 환호성을 터뜨렸다. 올리버는 『반지의 제왕』 3부작(+『호빗』)을 챙겼고, 제시는 프란츠의 몸집보다 큰 최신판 과학 백과사전을 받았다. 이사와 레이니는 똑같은 판다 장갑을 받았고(레이니는 "아무한테도 안 줄 거야! 절대 절대로!"라고 다짐했다) 히아신스는 무지개 색깔의 털실 세트를 받았다.

아빠는 엄마가 준 선물에 깜짝 놀란 반응이었다. 엄마의 선물은 최신 감청색 점퍼 슈트였다.

"우리가 어디에 살게 되든 당신한테 수리공의 부적 같은 이 점프 슈트가 필요할 것 같았어."

아빠는 엄마의 볼에 부드럽게 입을 맞추고 잠옷 위에 그대로 점프 슈트를 입어 보았다.

히아신스는 마지막까지 올리버의 선물을 남겨 두었다. 때가 오자 히아신스는 올리버 앞에 섰다. 손에는 플라스틱 비즈로 장식한 신발 상자가 들려 있었다. 올리버는 아무런 두려움 없이 상자를 바라보다가 뚜껑을 열었다. 그리고 상자에서 허리까지 늘어지는 암청색 모자를 꺼냈다. 모자 끝부분은 노란 형광색 실로 짠 무늬가 들어가 있었다.

"파란색 실이 모자랐냐?

올리버는 노란색 끝부분을 들어 올리며 물었다.

"어떻게 알았어?"

히아신스는 감탄했다.

온가족이 올리버의 반응을 보려고 숨을 죽였다. 올리버는 다시 한번 히아신스를 보더니 모자를 썼다.

"고마워, 히아신스."

올리버는 만족한 듯 활짝 웃으며 인사를 했다.

"사실 이런 모자가 갖고 싶었어."

그러자 가족들은 일제히 안도의 한숨을 내쉬었고, 히아신스는 좋아서 활짝 웃었다. 그러고 나서 아이들은 마지막 선물을 주기 위해 모였다.

레이니가 엄마 아빠에게 작은 상자를 내밀었다. 엄마는 상자를 열기도 전에 눈물부터 흘렸다. 그리고 테이프를 떼어내고 포장지가 찢기지 않도록 조심스럽게 상자를 열었다. 상자 안에는 올리버가 어렸을 때 벽에 그린 가족 그림을 찍은 사진이 액자에 들어가 있었다. 벽에 있는 그림의 실제 크기로 인화한 사진이었다. 액자를 꺼내 아빠에게 보여 주는 엄마의 뺨에 눈물이 흘러내렸다.

"정말…… 완벽한 선물이구나."

엄마가 겨우 입을 떼었다.

"새 침실에 같은 위치에 걸자고."

아빠가 다짐했다.

"엄마 아빠 선물 완료!"

올리버는 활짝 웃으며 말했다. 그리고 록키 발보아처럼 조깅하듯 뛰며 아이들과 하이파이브를 했다.

✖·✖·✖·✖

크리스마스 선물의 흥분이 가시자 아침 식사를 준비할 시간이 되었다. 레이니와 히아신스는 팬케이크 준비를 도우러 부엌으로 향했다.

이사와 제시가 거실을 청소하는 사이에 초인종이 울렸다. 프란츠가 꼬리를 분당 250번의 속도로 돌리며 현관문으로 달려갔다.

이사가 프란츠를 옆으로 밀치고 구멍으로 밖을 내다보자 놀랍게도 베니의 정수리가 아닌가 싶은 정수리가 보였다. 이사는 빗장을 돌려 문을 조금 열었다. 그건 실제로 베니의 정수리였다. 문이 열리자 베니가 주저하는 듯 부끄러운 듯 웃어 보였다.

"베니?"

이사가 물었다.

"안녕? 잘 있었어?"

이사는 시계를 내려다봤다.

"지금 7시 반이야. 그리고 오늘은 크리스마스고. 여기서 뭐 해?"

"그냥 산책 중이었어. 그러다가 너희 집이 보이기에 그냥 인사나 하고 가려고. 크리스마스 잘 보내라고."

베니의 목소리가 점점 작아졌다. 이사 뒤로 나타난 제시가 베니에게 뭔가 몸짓을 크게 했고 베니는 그런 제니를 안절부절못하는 눈으로 바라봤다.

"난 팬케이크 만드는 거 도우러 가야지."

제시가 부엌으로 가며 말했다. 그러는 사이 네 쌍의 눈은 이사와 베니를 대놓고 관찰하고 있었다.

"들러 줘서 고마워."

이사는 베니에게 인사를 했다.

"그런데 너희 부모님이 걱정하시지 않을까?"

"아니야. 너희 집에 인사하러 온다고 말씀드렸어. 이것도 보내셨는걸."

베니는 여러 종류의 달콤한 빵과 크리스마스 쿠키가 가득 든 봉지를 이사에게 쿡 찔러주었다.

봉지를 받아든 이사가 감탄했다.

"와! 감사하다고 말씀드려 줘. 우리랑 아침 먹고 갈래?"

베니는 이사의 부모님을 흘깃 보더니 다시 이사를 바라봤다.

"잠깐 나랑 산책이나 할래?"

이사가 눈을 깜빡였다.

"산책? 지금?"

"응. 가자."

"잠깐만."

이사는 부모님에게 허락을 받으려고 돌아섰다. 엄마 아빠는 이사가 입을 열기도 전에 고개를 끄덕였다.

"멀리 가지 말고 15분 안에 돌아와."

아빠가 일렀다.

이사는 고개를 끄덕인 다음 패딩을 꺼내 베니를 따라 밖으로 나갔다.

베니와 이사는 말없이 구역의 절반 쯤 걸었다. 그러다가 베니가 마침내 무슨 말을 중얼거렸다. 이사는 베니를 잠깐 바라봤다. 얼굴이 왜 이렇게 빨개? 이사는 베니에게 몸을 기울였다.

"뭐라고?"

이사를 바라보는 베니의 얼굴은 정말 불타오르듯 빨갰다.

"오늘 아침에 너 예뻐 보인다."

이사는 자신의 옷차림을 내려다봤다. 낡은 운동화, 악보가 그려진 색 바랜 양털 잠옷 바지, 그 위에 입은 패딩이 전부였다. 이사는 고개를 갸우뚱했다.

"너 괜찮은 거야, 베니?"

"사실이야. 난 처음부터 네가 세상에서 가장 예쁘다고 생각했어."

베니는 변명하듯 말했다.

이사의 얼굴색이 금세 베니를 따라잡았다. 몇 분 간 침묵이 흐른 뒤 베니는 길 한복판에서 멈췄다. 이사는 베니가 옆에 없는 걸 깨닫고 멈춰 서서 뒤로 돌아섰다.

"이사, 내가 한 말 정말 미안해. 제시가 어제 전화했었어. 나랑 했던 얘기 너한테 전하지 않았다고. 난 네가 다 아는 줄 알았거든. 미안해. 그리고 다른 여자애한테 같이 가자고 한 적도 없어. 내가 왜 그런 말을 했는지 모르겠어. 그냥…… 자존심이 상해서. 미안해, 정말.”

“베니, 나도 미안해. 네 마음에 상처를 주고 싶었던 건 아니야. 넌 나한테 가장 소중한 친구인걸. 네가 나한테 말을 안 하니까 화가 나서 그랬어.”

“제시랑 통화한 다음에 너를 직접 보고 말하려고 얼마나 기다렸다고. 어젯밤에 오고 싶었는데 제시가 크리스마스이브 만찬을 한다고 하고 너도 아직 화가 안 풀렸다고 하더라고. 그래서 오늘 일어나자마자 온 거야. 너한테 부탁할 게 있어서.”

베니가 숨을 크게 들이마시자 이사의 심장도 쿵쾅거리기 시작했다.

“이사, 다음 달에 있는 8학년 댄스파티에 나랑 가 줬으면 정말 좋겠어. 나랑 같이 가 줄래?”

그때 산들바람이 불어와 나뭇잎들이 깃털처럼 가볍게 빙그르르 춤을 추며 거리로 떨어졌다. 베니가 작은 자갈에 발끝을 비비자 그 소리가 이사의 귀에까지 울렸다.

몇 년 뒤에 이사의 기억에는 바로 이 순간이 남을 것이다. 소용돌이치는 낙엽들, 뽀드득 소리를 내는 자갈돌, 상쾌한 겨울 냄새. 하지만 무엇보다도 이사는 베니의 불안한 얼굴, 언제나 사랑스러웠던 그 얼굴이 떠오를 것이다.

⧓·⧓·⧓·⧓

이사와 베니가 브라운스톤으로 돌아왔을 때 엄마 아빠는 창문에 코를 박고 있었다. 엄마 아빠는 크리스마스 아침에 길거리를 살피는 행동이 아주 당연한 일이라는 듯 아이들에게 손을 흔들어 보였다. 이사는 엄마 아빠에게 밖으로 나오라는 손짓을 했고, 엄마 아빠는 고개를 끄덕인 후 외투도 걸치지 않고 나갔다.

"베니, 만나서 아주 반갑구나."

아빠가 아무렇지도 않은 듯이 인사를 건넸다. 아빠는 선물로 받은 점프 슈트를 아직 입고 있었는데, 그 밑으로 잠옷이 삐져나왔다.

"안녕하세요, 아저씨? 안녕하세요, 아줌마?"

베니가 대답했다.

엄마는 몸을 떨며 팔뚝을 문질렀다.

"참 재미있는 아침이구나. 베니, 우리랑 같이 아침 먹고 갈래? 히아신스랑 레이니가 팬케이크 만들었는데 완전히 망쳤거든. 너희 부모님이 주신 빵으로 먹어야겠어. 부모님께 전화해서 건너오시라고 할래?"

베니는 잠시 생각하더니 대답했다.

"제가 달려가서 모셔 올게요."

베니가 달려가자 밴더비커 가족들은 그 자리에 서서 베니가 길 아래로 사라지는 모습을 지켜봤다. 엄마와 아빠는 외투도 없이 밖에 나오는 바람에 얼어버릴 것 같아 이사와 함께 안으로 들어왔다.

이사는 들어가자마자 탁자에 앉은 제시를 끌어당겨 안았다.

"고마워."

이사가 속삭이자 제시가 고개를 끄덕였다.

"이제 욕실 청소 안 해도 되지?"

"뭔 소리야? 하지만 공식적으로 완전히 용서할게."

제시는 잠시 생각하더니 대꾸했다.

"좋아."

히아신스와 레이니는 식탁을 차리느라 바빴고 프란츠가 그런 두 아이를 졸졸 쫓아다녔다. 식탁 한가운데에는 우주선처럼 쌓아올린 팬케이크가 흔들거리고 있었고, 그 옆에는 캐슬먼 부부가 보낸 빵을 담은 접시와 귤이 가득 든 도자기 그릇이 있었다.

"멍멍!"

프란츠가 히아신스의 발을 건드리며 짖었다.

"프란츠, 팬케이크는 네 다이어트 음식이 아닌 거 알잖아?"

히아신스는 식기를 놓으려 식탁을 둥글게 돌며 프란츠를 꾸짖었다.

프란츠는 아랑곳하지 않고 히아신스를 따라다니며 낑낑댔지만 히아신스는 프란츠를 피했다.

"프란츠, 나 식탁 차려야 해!"

프란츠는 한 번 울더니 히아신스의 치맛자락을 물고 계단 쪽으로 끌었다. 히아신스는 프란츠의 이상한 행동에 놀라 그냥 끌려갔다. 위로 올라가니 프란츠가 침실을 지나면서 뭔가 위급한 듯 냄새를 킁킁 맡고 건물 복도로 이어지는 문을 긁어댔다.

"왜 그래, 프란츠?"

히아신스가 물었다. 그러고는 프란츠를 옆으로 밀치고 문을 열었다. 그랬더니 문 앞 매트에 상자가 놓여 있었다. 프란츠는 상자 안으로 머리를 집어넣고 어제 비더먼 아저씨네 문 앞에 놓고 온 새끼 고양이의 머리를 핥았다. 흰 발과 새까만 몸통을 한 새끼 고양이는 목에 리본을 하고 있었다. 히아신스가 가까이 들여다보니 비더먼 아저씨를 위해 만들었던 초록색 벨벳 리본이었다.

리본에는 작은 메모가 달려 있었다. 히아신스는 고양이 목에서 리본을 풀어 메모를 읽었다.

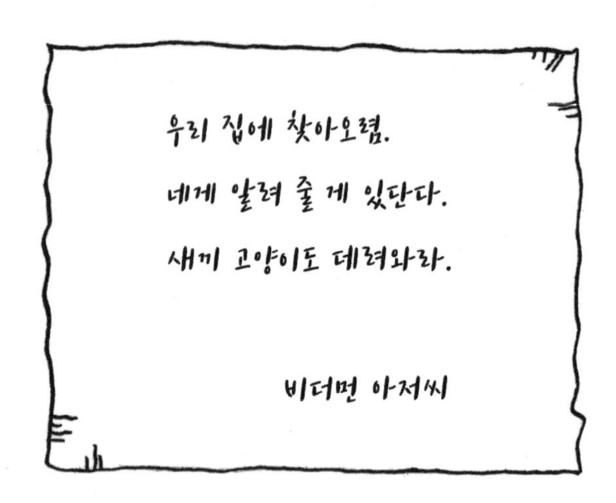

우리 집에 찾아오렴.
네게 알려 줄 게 있단다.
새끼 고양이도 데려와라.

비더먼 아저씨

23

히아신스는 새끼 고양이를 단단히 안고 프란츠와 함께 집으로 뛰어 들어가 문을 닫았다. 계단을 내려와서는 벌벌 떨며 다른 아이들을 찾아 작은 소리로 알렸다.

"당장 가족회의를 소집해!"

히아신스의 눈이 제정신이 아니었든지 아니면 이상하지만 귀여운 새끼 고양이를 안고 있어서였든지 아이들은 의견 다툼을 멈추지 않았다.

"파자마는 벗고 옷을 갈아입자!"

이사는 딴 데 정신이 팔려 있는 엄마 아빠가 들으라고 일부러 큰 소리로 외쳤고, 아이들은 서둘러 계단을 올라갔다.

"아침은?"

아빠가 냉장고 문 뒤에서 물었지만 아무도 대답하지 않았다.

히아신스는 브라운스톤의 중앙 복도로 이어진 1층 비상구로 아이들을 불러 모았다. 그곳에 다른 집으로 올라가는 계단이 있었다.

"내가 비더먼 아저씨한테 준 새끼 고양이 목에 걸려 있던 거야."

히아신스는 올리버에게 메모를 건넸다.

"비더먼 아저씨한테 새끼 고양이를 줬었어? 왜 그런 짓을 했어?"

제시가 눈을 크게 뜨고 물었다.

"쉿!"

이사가 제시를 가로막고 올리버에게 메모를 읽어보라고 시켰다.

올리버는 메모를 큰 소리로 읽은 다음에 다시 원상태로 접기 시작했다.

"이런, 이런! 아저씨가 원하는 게 대체 뭘까?"

누가 대답을 하기도 전에 이사가 레이니를 봤다. 밴더비커가의 막내 혼자서 계단을 올라가고 있었다. 벌써 3층과 4층 중간에 서 있었다.

"레이니!"

아이들이 계단을 따라 올라가며 외쳤다. 하지만 때는 이미 늦었다. 레이니는 씩씩하게 초인종을 누르고 외쳤다.

"아저씨, 저희 왔어요! 아저씨 새끼 고양이하고요!"

다른 아이들이 겨우 레이니를 따라잡았을 때 이미 문이 열리기 시작했다. 비더먼 아저씨가 열린 문 사이로 아이들을 내려다봤다. 아저씨를 보자마자 히아신스가 한 첫 번째 생각은 지난번 아저씨 앞에서 식탁 매트를 떨어뜨렸을 때처럼 무서운 눈이 아니라는 것이었다. 두 번째 생각은 '나 용감해진 것 같아'였다.

"들어오렴."

비더먼 아저씨는 안으로 들어오라며 뒤로 물러섰다. 아저씨는 검은 옷을 입고 있었지만 머리를 단정하게 빗었고 턱수염도 깎은 상태였다. 잠시 동안 아무도 꼼짝하지 않았다. 그때 히아신스의 품에 안겼던 새끼 고양이가 우아하게 점프하더니 꼬리를 흔들며 안으로 걸어 들어갔다.

"괜찮아, 들어와도 돼."

비더먼 아저씨가 다시 한 번 말했다. 히아신스는 '용감한 히아신스'로 주파수를 맞추고 등을 곧추 세운 뒤 프란츠를 데리고 안으로 들어갔다. 그 뒤를 끝이 노랗고 허리까지 내려오는 암청색 모자를 쓴 올리버가 따랐다. 그 다음에 레이니가 들어갔고 마지막으로 제시와 이사가 들어갔다.

구석에 있는 스테레오에서 바이올린 연주곡이 부드럽게 흘러나오고 있었다. 그것이 자신의 연주곡을 담은 시디에서 흘러나오는 음악이라는 걸 알고 이사의 눈이 휘둥그레졌다. 집은 거의 텅텅 비어 있었다. 1인용 식탁에 의자 한 개가 집어넣어져 있었고, 헤진 소파와 흰 사이드 탁자, 그리고 스탠드 램프 두 개가 다였다.

레이니가 가져다준 크리스마스트리는 식탁 중앙, 히아신스가 만들어 준 식탁 매트 바로 앞에 놓여 있었다. 레이니가 그린 브라운스톤 그림은 히아신스의 화관 옆 벽에 붙어 있었다. 제시가 만든 과학 실험 장치는 소파 옆 사이드 탁자 위에 있었고, 소파 팔걸이에는 올리버의 편지와 시가 놓여 있었다. 아이들의 선물이 모두 있었다.

하지만 아이들 눈에 가장 띈 것은 아저씨에게 줬던 선물이 아니라 많은, 아주 많은 그림이었다. 크고 작은 그림, 온통 까맣고 하얀 그림이 벽마다 빈틈없이 걸려 있었다. 그림들은 모두 한 소녀를 나타냈다. 갓난아기에서 10대까지 나이가 다 다르고, 때로는 혼자, 그리고 때로는 엄마 나이 또래의 여자와 함께 표현되어 있었다. 여자만 그린 그림도 있었다. 어떤 그림은 붓이 캔버스에 충돌해서 찢겨나간 듯 거칠었고, 또 어떤 그림은 아주 가는 붓으로 수백 시간 동안 공을 들여 그린 것처럼 부드러웠다.

아이들은 다시 비더먼 아저씨에게로 시선을 돌렸다. 아저씨는 문가에서 한 발짝도 움직이지 않았다. 검은 새끼 고양이는 가냘프게 울면서 아저씨 발목 주위를 빙글빙글 돌고 있었다.

아이들이 뚫어지게 바라보자 비더먼 아저씨는 목을 가다듬었다.

"나는 비더먼 아저씨야."

아저씨는 거친 목소리로 할 필요도 없는 말을 했다. 아이들은 불안한 마음으로 아저씨를 바라봤다.

"미안했다……."

아저씨는 기침을 하더니 말을 멈추고 한 손을 들어 흔들었다.

"모든 게."

아이들은 아무 말도 하지 않았다. 비더먼 아저씨는 이사를 바라보고 눈길을 거두었다가 다시 이사를 바라봤다.

"어젯밤에 미안했다. 너희 집 계약을 갱신하지 않은 것도 미안해. 그건 사실……."

비더먼 아저씨는 말을 더듬거렸다.

"괜찮아요, 아저씨."

이사가 나섰다.

"저희도 알아요. 아저씨 가족에 대해서요."

비더먼 아저씨는 침을 꿀꺽 삼키고 이사에게 말했다.

"몇 달 전에 네가 브라운스톤 계단에서 루시애나가 가장 좋아하던 노래를 연주했어. 견디기가 힘들었단다. 그래서 차라리……."

아저씨의 목소리가 작아지더니 말을 잇지 못했다.

모두가 조용히 서 있었다. 들리는 소리라곤 아이들이 자세를 바꿀 때 마룻바닥이 끼익 대는 소리뿐이었다.

그때 히아신스가 입을 열었다.

"이 그림 전부 아저씨가 그린 거예요?"

아저씨는 고개를 끄덕였다.

"아주 많이 보고 싶으신가 봐요."

비더먼 아저씨는 히아신스를 바라보았다.

"매일 매순간 보고 싶단다."

이사는 심장이 터져나갈 것 같았다.

"아저씨, 저희는 아저씨 친구가 되고 싶어요. 아저씨가 저희와 함께 지내시는 게 힘들지만 않다면요."

레이니는 아저씨에게 걸어가 아무런 거리낌 없이 네 살하고 9개월 산 아이만 할 수 있는 포옹으로 아저씨를 안아 주었다.

"우리 친구 해요."

레이니의 숨 막히는 목소리가 울렸다. 비더먼 아저씨는 놀란 표정으로 레이니를 내려다봤다. 아저씨 얼굴에는 절망과 열망이 동시에 나타났다. 레이니가 아저씨에게서 떨어져 나오자 아저씨는 그 자리에 주저앉아 대답 대신 레이니의 손을 잡았다.

아저씨는 올리버도 흘깃 보았다.

"못된 편지 보내서 죄송해요."

올리버가 앞으로 나오며 사과했다.

비더먼 아저씨는 고개를 저었다.

"내 잘못이다. 그보다 더한 것도 받을 만큼."

히아신스는 비더먼 아저씨의 손을 잡고 일으켰다.

"저희랑 가요. 크리스마스 아침 먹을 시간이에요."

"아, 아니다. 난 못 가."

비더먼 아저씨는 히아신스를 밀어내며 말했다.

"이 집을 떠날 수 없어."

"새끼 고양이랑 메모를 아래층에 갖다 놓으셨잖아요."

"그게 처음이자 마지막이었어."

"마지막은 없어요."

이사는 아저씨를 밖으로 데려가는 히아신스를 도우며 말했다.

"많은 처음이 있을 뿐이에요."

⌘·⌘·⌘·⌘

아이들이 다시 집으로 내려왔을 때 엄마 아빠는 부엌 옆 계단 밑에서 기다리고 있었다.

"그 위에서 뭐 하느라 그렇게 오래 있었어?"

엄마는 계단을 내려오는 아이들을 향해 소리쳤다.

“그리고 왜 아직도 잠옷 차림이야?”

“그럴 이유가 있었어.”

제시가 설명하려 했지만 엄마의 기세는 꺾이지 않았다.

“캐슬먼 부부가 10분 전부터 기다리고 계시거든. 해리건 숙모랑 아서 삼촌도 일어나셨고!”

그때 이사가 주저하는 비더먼 아저씨를 데리고 계단을 내려왔다.

“엄마, 비더먼 아저씨를 소개할게.”

엄마와 아빠는 아이들 뒤에서 비더먼 아저씨가 나타나자 입이 떡 벌어졌다. 비더먼 아저씨는 난간에 쌓인 이사 상자들을 요리조리 피해서 내려왔다.

“갑자기 쳐들어와서 죄송합니다.”

아저씨의 목소리가 워낙 차분해서 모두가 귀를 쫑긋 세웠다.

“아이들한테 끌려 내려왔어요.”

아빠가 먼저 정신을 차렸다.

“아, 아닙니다. 아니에요.”

아빠는 침착하게 말했다.

“들어오세요. 참, 메리 크리스마스!”

아빠는 애매한 자세로 캐슬먼 부부를 가리켰다.

“안녕하세요?”

비더먼 아저씨가 인사를 하자 캐슬먼 부부도 인사를 했다.

"안녕하세요?"

이사는 엄마를 바라봤다.

"엄마, 비더먼 아저씨에게 음식을 갖다 드려도 될까?"

"당연하지."

엄마는 정신을 차리고 분주하게 움직이며 빵을 접시에 흘러넘칠 정도로 담았다. 그리고 접시를 비더먼 아저씨의 팔에 안기며 물었다.

"커피 드릴까요? 차? 우유? 주스? 그냥 물 드릴까요? 아니면 탄산수?"

그러자 히아신스가 끼어들었다.

"엄마, 우리가 마실 건 갖다 드릴게. 엄마는 캐슬먼 아저씨 아줌마를 챙겨 드려."

캐슬먼 부부는 해리건 숙모와 소곤거리며 대화 중이어서 도움이 필요한 것 같지는 않았지만 엄마는 그래도 그들에게 쪼르르 달려갔다.

"마실 것 갖다 드릴까요?"

히아신스가 물었다. 아이들은 비더먼 아저씨를 보호하듯이 주위를 맴돌았다.

"물 좀 부탁한다."

비더먼 아저씨가 작은 소리로 말했다. 히아신스는 부엌으로 가서 물 한 잔을 들고 돌아왔다. 비더먼 아저씨는 물을 한 모금 마신 뒤 밴더비커가의 아이들을 바라보았다.

"내가 너희들에게 그렇게 모질게 했는데 너희들은 나와 같은 건물에 살고 싶니?"

아이들은 숨을 쉴 엄두도 못 내고 고개만 끄덕였다. 비더먼 아저씨도 침을 꿀꺽 삼켰다.

"너희들이 여기 브라운스톤에서 계속 지냈으면 좋겠다."

비더먼 아저씨는 조심스럽게 덧붙였다.

"너희들이 원한다면."

잠시 정적이 흘렀다. 곧이어 기쁨의 환호성이 터져 나와 브라운스톤 전체에 퍼졌다. 레이니와 히아신스는 팔짝팔짝 뛰면서 기쁨의 비명을 질렀고, 올리버는 두 팔을 들어 올리고 소리를 질렀다. 제시와 이사는 서로 감싸 안았다.

아이들의 함성에 엄마 아빠가 뛰어나왔다.

"도대체 이게 다 뭐야?"

엄마가 외쳤다.

"우리 이사 안 가도 돼! 이사 안 가도 된다고!"

히아신스가 신이 나서 말했다.

"오텐빌로 이사 가지 않아도 돼."

올리버도 소리쳤다.

"반 허슨 선생님한테 계속 배울 수 있어."

이사도 좋아했다.

엄마와 아빠는 눈이 휘둥그레져서 비더먼 아저씨를 바라봤다.

"부탁합니다. 여러분과 여러분 가족이 이 브라운스톤에서 지냈으면 좋겠어요."

비더먼 아저씨가 말을 마치자 아득한 침묵이 흘렀다.

"감사합니다! 감사해요!"

엄마는 울음을 터뜨리며 비더먼 아저씨를 자기도 모르게 감싸 안았다. 올리버는 엄마가 흥분해서 아저씨가 바닥에 쓰러질까봐 걱정이었다.

"진정, 진정해!"

아빠는 엄마를 비더먼 아저씨에게서 떼어 내며 말했다. 그리고 비더먼 아저씨와 악수를 하며 감사 인사를 했다.

"감사합니다. 저희한테 정말 의미가 큽니다."

"앞으로 우리 집에 와서 바이올린 연주를 해 주겠니?"

비더먼 아저씨가 이사에게 물었다.

"물론이죠. 아저씨에게 힘들지만 않다면요. 반 허슨 선생님이 바이올린 얘기해 주셨어요."

비더먼 아저씨는 고개를 끄덕였다.

"바이올린을 보고 있으니 좋았다. 다시 노래하는 소리를 들으니 좋았어."

비더먼 아저씨는 히아신스에게 돌아섰다.

"넌 나에게 고양이 기르는 법을 가르쳐 주겠니?"

"그럼요!"

히아신스가 큰 소리로 대답했다.

"나도 도울 거예요."

레이니가 거들었다.

"레이니, 고양이 이름 짓는 거 도와줄래?"

비더먼 아저씨가 묻자 레이니가 곧장 대답했다.

"솜털이요. 아니면 귀요미. 아니면 귀요미 공주님."

"흠…… 조금 더 생각해 보자꾸나."

비더먼 아저씨가 제안했다.

조지 할머니와 지트 할아버지가 도착하자 아이들은 좋은 소식을 전하러 달려 나갔다.

"우리 이사 안 가요! 이사 안 간다고요!"

히아신스가 외쳤다.

레이니는 조지 할머니의 허리를 감싸 안았다.

"우리 영원히 함께 살 수 있게 됐어요."

올리버는 지트 할아버지가 방금 백만 달러라도 딴 듯이 함박웃음을 짓는 걸 봤다.

"정말이니?"

조지 할머니는 아빠의 팔에 기대며 물었다.

"예! 비더먼 씨 만나 보셨어요?"

엄마가 물었다. 엄마는 조지 할머니와 지트 할아버지를 비더먼 아저씨에게 데려다준 다음에 서둘러서 음식을 새로 내오러 갔다.

초인종이 울리고 앤지가 아버지와 함께 작별 인사를 하러 왔다가 더 이상 작별 인사가 필요하지 않다는 사실을 알게 되었다. 스마일리 씨는 전화를 걸어 이웃들에게 소식을 알렸고, 이내 브라운스톤은 좋은 소식을 축하하러 온 친구들로 북적였다.

빨간 드레스에 굵고 검은 리본을 허리에 맨 알레그라가 도착했을 때 가장 처음 한 일은 이사를 껴안고 소리를 지르는 것이었다.

“이제 8학년 댄스파티에 갈 남자를 골라야 해!”

“벌써 골랐어.”

이사가 베니를 보고 웃으며 대답했다.

“말 · 도 · 안 · 돼!”

알레그라는 이른 생일선물을 받은 사람처럼 기뻐했다.

“정말 정말 잘됐다! 칼슨한테 빨리 알려야지. 베니, 너 이사 꽃팔찌 준비해야 해. 레녹스 애비뉴에 있는 꽃가게에 애머랜스핑크라는 색깔의 카네이션이 있어. 그 색깔로 사야 해. 이사 드레스랑 머리 색깔이랑 가장 잘 어울릴 테니까. 잊지 마, 애머랜스핑크! 참, 그리고 너 정장으로 잘 차려입어야 해. 알았지? 미식축구 유니폼 같은 거 입으면 출입 금지야!”

베니는 입고 있던 유니폼과 청바지를 내려다봤다. 그리고 깜짝 놀라 이사를 바라봤다.

하지만 알레그라는 베니를 가만 놔두지 않았다.

“제시 데려갈 친구는 없어?”

“그런 일은 없을 거야.”

제시는 먹다 남은 초콜릿 크루아상을 알레그라에게 튕기며 말했다.

빵 조각은 알레그라의 이마 정중앙에 맞았다.

집배원 존스 아저씨, 크리스마스트리를 파는 리치 아저씨를 포함해서 많은 이웃이 들렀다. 반 허슨 선생님은 바이올린을 꺼내 크리스마스 음악을 연주하기 시작했다. 밴더비커 가족의 집이 축하해 주는 이웃과 친구들로 발 디딜 틈 없이 붐볐다.

그러는 사이에 비더먼 아저씨는 부엌 한 구석에 있는 의자에 앉아 시간을 보내고 있었다. 그 자리에 앉으니 주위에서 벌어지는 모든 일을 놓치지 않고 볼 수 있을 뿐만 아니라 사람들에게 밀리지 않아도 되었다. 옆에는 올리버가 새 책에 정신이 팔려 앉아 있었다. 레이니가 이미 귀요미 공주님이라고 부르기 시작한 비더먼 아저씨의 새끼 고양이는 비더먼 아저씨의 발목을 감싸고 있었다. 이사, 제시, 그리고 친구들은 함께 모여 수다를 떨며 웃고 있었다. 프란츠는 원을 그리고 돌면서 목에 매 놓은 빨간 천 조각을 없애려고 애썼다. 레이니는 바닥을 기어 다니며 자신에게만 의미가 있는 길을 지나고 있었다. 아서 삼촌은 아빠가 파이프 대형 사고가 터진 날 뚫어 놓은 천장의 구멍을 검사하며 믿기지 않는다는 듯이 고개를 저었고, 엄마와 아빠는 부엌에서 설거지를 하고 잔에 음료를 채우고 손님들의 접시에 음식을 억지로 더 담고 있었다. 비더먼 아저씨는 조용히 모든 광경을 지켜보더니 크게 숨을 들이마셨다. 그 순간에 비더먼 아저씨를 본 올리버는 비더먼 아저씨가 온몸으로 행복을 들이마시는 것 같았다고 나중에 전했다.

손님들이 모두 떠나고 몇 시간이 지났다. 비더먼 아저씨는 가장 먼저 떠난 사람 중 한 명이었다. 레이니에게 내일 저녁에 꼭 식사하러 오겠다고 약속한 뒤였다. 비더먼 아저씨는 새끼 고양이를 조심스럽게 안고 짧은 작별 인사를 한 다음에 위층으로 사라졌다. 다른 손님들도 하나둘씩 돌아갔고 해리건 숙모와 아서 삼촌만 남았다. 엄마와 아빠가 청소를 시작하자 아이들은 숙모와 삼촌이 짐 싸는 걸 도와줬다. 셀 수 없을 정도로 많이 입맞춤을 하고 껴안은 다음 해리건 숙모와 아서 삼촌은 차를 타고 떠났다. 아이들이 손을 흔들고 잘 가라고, 사랑한다고 인사를 하자 경적을 울리며 도로를 따라 달렸다.

차가 모퉁이를 돌아 사라지자 밴더비커 가족은 뒤로 돌아 브라운스톤과 마주했다.

"우리가 청소랑 이삿짐 푸는 거 도와야 할 거 같은데?"

제시가 말했다.

"지금 당장 시작하자. 난 준비됐어."

올리버가 대꾸했다.

이사는 손을 들어 말했다.

"잠깐만…… 기다려."

아이들은 가만히 서서 브라운스톤의 모습에 취했다. 건물 주위에 둘러진 꽈배기 모양의 강철 울타리, 건물의 파사드가 된 연한 빨간색 암석, 햇살에 반짝이는 넓은 창문들…….

아이들은 건물의 모습을 충분히 만끽하고 나서야 집 안으로 들어갔다. 브라운스톤은 뿌리를 더 튼튼히 박기라도 하듯 끼이익 소리를 냈다. 지금까지 그래왔듯이, 그리고 앞으로도 그렇듯이, 브라운스톤의 온기와 사랑이 아이들을 따뜻하게 감쌌다.

에필로그

한 달 하고도 엿새가 지난 뒤에

하늘색 폭스바겐 한 대가 141번가를 덜커덩거리며 달려 내려와서 브라운스톤 앞에 멈춰 섰다. 자동차의 뒷문이 열리고 멀쑥한 8학년 남학생이 나왔다. 학생은 빳빳하게 다린 검은 정장에 자주색 넥타이 차림이었다. 머리는 아직 다 마르지 않은 상태였고 조금 전 빗은 티가 났다. 평소 농구 할 때 신는 운동화를 그대로 신고 있었다. 손에는 플라스틱 상자를 쥐고 있었고, 상자 안에는 애머런스핑크색 꽃팔찌가 들어 있었다.

학생은 브라운스톤 정문까지 뛰어간 다음에 멈춰 서서 초인종을 눌렀다.

"안녕? 왔구나!"

베니는 깜짝 놀라 초인종에서 손을 떼고 올려다봤다. 비더먼 아저씨가 창밖으로 내다보고 있었다.

베니는 뒷걸음질 쳐서 더 잘 보이는 곳에 섰다.

"아, 안녕하세요, 비더먼 아저씨? 저예요, 베니."

비더먼 아저씨는 창밖으로 몸을 더 내밀며 물었다.

"네가 누군지는 나도 알아. 그런데 이 시간에 여긴 웬일이냐?"

"아, 이사를 데리러 왔어요. 댄스파티 가려고요."

베니는 추워서 몸을 떨었다. 1월 말이어서 고드름이 아직 브라운스톤 처마 밑에 매달려 있었다. 베니는 이사에게 좋은 첫 인상을 남기고 싶어서 외투를 차에 두고 왔다. 밖에 이렇게 오래 서 있을 줄은 생각도 못했다.

비더먼 아저씨가 베니를 응시했다.

"이사랑 이상한 짓 할 꿈도 꾸지 마. 나한테는 네 인생을 비참하게 만들어 줄 시간이 많다는 걸 기억해라."

베니는 숨은 암살자라도 있을까봐 주위를 둘러봤다. 다행히 그 순간에 문이 열리고 이사가 쓰러질 듯 튀어나왔다. 이사는 화려한 잡지에서 막 걸어 나온 것 같았다. 베니에게 달려간 이사는 베니를 두 팔로 안았다.

"대단한 입장식은 그만하면 됐다."

해리건 숙모가 헤어스프레이를 손에 들고 문가에 서서 말했다.

"비켜요, 해리건!"

엄마는 해리건 숙모를 밀치고 휴대전화로 이사의 사진을 찍으며 말했다.

그때 아빠가 이사의 외투를 들고 그 사이를 비집고 나왔다. 아빠는 이사의 손을 잡고 있는 베니를 쏘아보며 일렀다.

"규칙 1번. 만지기 없기."

베니가 당장 이사의 손을 떨어뜨렸다. 아빠는 이사에게 외투를 건네주었다.

아서 삼촌이 아빠를 따라 밖으로 나왔다. 삼촌은 올리버의 플라스틱 해적 검을 들고 있었다.

"이걸 너한테 쓸 이유를 주지 마."

엄마와 이사는 한숨을 쉬었다. 그때 위에서 비더먼 아저씨가 헛기침을 했다. 아빠와 아서 삼촌이 위를 올려다보자 비더먼 아저씨는 엄지손가락을 조심스럽게 들어올렸다.

"안녕, 베니?"

제시가 지붕에서 인사를 했다. 모두가 위를 올려다봤다.

"음악 들을래?"

제시가 사라지더니 이내 새로 만든 폭포수의 풍경들이 동네에 울려퍼졌다.

올리버가 밖으로 나왔다.

"안녕, 베니? 신발 멋진데?"

잠옷 차림의 레이니도 사람들 사이를 비집고 나와 베니에게 인사를 했다.

"꽃팔찌 봐도 돼?"

프란츠가 분당 320번의 속도로 꼬리를 돌리며 뛰어나왔고 그 뒤를 히아신스가 바짝 쫓았다. 베니가 상자를 열어 꽃팔찌를 꺼낸 다음에 이사의 팔목에 걸어 주었다.

"와!"

히아신스와 레이니가 동시에 감탄했다.

그때 3층 창문이 삐걱 열렸다.

"춤추러 갈 시간인가?"

조지 할머니가 물었다. 할머니 옆에는 지트 할아버지가 서서 창밖으로 얼굴을 내밀며 아래층 사람들을 내려다봤다.

"맞아요!"

이사가 외쳤다. 이사는 베니의 손을 잡았다. 아빠, 아서 삼촌, 비더먼 아저씨는 다시 한 번 두 사람에게 경고를 날렸다.

"어서 서둘러. 쯧쯧, 베니는 외투도 없잖아."

"사진 한 장만 찍고요."

엄마가 외쳤다. 이사는 미안한 표정으로 베니를 바라봤다. 그런 다음에 두 사람은 사진을 위해 포즈를 잡았다.

"치즈!"

엄마는 열한 번이나 버튼을 누르면서 외쳤고, 결국 아빠가 휴대전화를 빼앗아 버렸다. 이사와 베니는 손을 흔들며 차로 뛰어가 뒷좌석에 탔다. 앞좌석에 앉은 캐슬먼 부부도 손을 흔들어 인사했다.

"조심하고!"

아빠가 소리쳤다.

"올 때 선물 가져와!"

레이니도 외쳤다.

"그 운동화 어디서 샀어?"

올리버가 베니에게 물었다.

"기다리고 있을게."

제시가 지붕에서 외쳤다.

"정말 사랑스럽지 않아요?"

제시 할머니가 지트 할아버지에게 물었다.

"내가 쓸 꽃팔찌 만들고 싶어."

히아신스가 중얼거렸다.

"귀가 시간은 10시 정각이야!"

비더먼 아저씨가 베니에게 외쳤다.

"다녀와서 봐! 재미있게 놀아라!"

엄마가 외쳤다.

베니와 이사는 모두에게 웃어 보이며 손을 흔들고 차문을 닫았다. 캐슬먼 부부의 차가 천천히 움직이기 시작했다.

비더먼 아저씨는 무뚝뚝하게 손을 흔들고 집으로 들어가 버렸다. 조지 할머니와 지트 할아버지는 밴더비커 가족에게 키스 인사를 하고 창문을 닫았다. 제시는 지붕으로 사라지는가 싶더니 철제 계단을 내려오며 쿵쾅쿵쾅 소리를 냈다.

브라운스톤 꼭대기에 있는 풍향계가 신나게 돌아갔고 밴더비커 가족은 집으로 들어갔다. 과거에도 그리고 앞으로도 그들의 집이 될 141번가 브라운스톤으로.

감사의 글

이 책은 나에게 여행과 같았다. 그런 의미에서 나의 수많은 여행 친구들에게 무척 고맙다는 말을 전하고 싶다. 우선 앤 라이더는 나와 이 책에게는 이보다 더 좋을 수 없는, 완벽한 편집자였다. 앤은 나를 부드럽게 이끌어 주고 매우 소중한 피드백을 주었다. 그리고 밴더비커가의 아이들을 사랑해 주고 호튼 미플린 하코트 출판사에 둥지를 틀 수 있게 해 주었다. 출판사의 디자인팀, 특히 멋진 레이아웃과 작은 디테일까지 일일이 신경써 준 셰일라 스몰우드에게도 감사하다. 메리 윌콕스, 릴리 키신저, 카렌 월시, 리자 디사로, 메리 매그리소, 타라 섀넌, 로렌 체페로 등 출판사의 많은 분이 이 책의 출판을 가능하게 했다. 콜린 펠링햄과 앨리슨 커 밀러는 교정·교열과 사실 확인을 맡아 주었다. 할렘 가의 지도를 멋지게 만들어 준 제니퍼 서미스는 밴더비커 가족이 살고 있는 동네에 활기를 불어넣어 주었고, 칼 제임스 마운트포드는 멋진 표지 디자인을 해 주었다.

커티스 브라운 에이전시, 특히 훌륭하고 의지가 강한 진저 클라크와 멋진 테스 칼레로에게 큰 고마움을 전하고 싶다. 진저는 영원한 행복을 누릴 자격이 있고, 테스도 사방을 뛰어다니는 강아지들과 늘 함께할 자격이 있다. 이 세상의 가장 맛있는 더블 초콜릿 피칸 쿠키를 선물해도 나와 이 책에 대한 꾸준한 믿음을 줬던 홀리 프레데릭에게 충분히 감사의 뜻을 전할 수 없을 것이다.

매일 나를 격려해 준 글쓰기 파트너이자 사랑하는 동료인 새라 파비아-해이즈와 재니스 니무라에게 무한한 감사의 마음을 바친다. 두 사람은 진정한 의미의 동지이다. 로렌 하트, 로라 쇼밴, 케이티 그레이브스-에이브, 에밀리 래빈, 해리건 바우먼 등 나의 독자들이자 친구들에게도 고마움의 뜻을 전한다. 특히 레브 로젠은 나의 멘토이자 친구이며 신랄한(그러나 사기를 북돋는) 피드백을 주었다.

이 여행을 시작하도록 나를 격려해 준 제이미와 앤 브렌튼에게도 인사를 전한다. 나의 글레이저 가족, 특히 지지와 격려를 아끼지 않은 마이클과 캐슬린에게 감사하다.

나에게 영감을 주고 나를 지지해준 공동체, 특히 타운 학교, 루시 모지스 학교, 북 리옷, 뉴욕 소사이어티 라이브러리, 북 셀러에서 만난 좋은 분들, 그리고 할렘의 이웃들에게 고마운 마음을 전한다. 음악을 통해서 세상을 훨씬 더 아름답게 만드는 타고난 음악가들인 누릿 팩트와 모니카 스테인-크라우즈에게도 감사하다.

마지막으로 나의 딸 카엘라와 린다에게 사랑을 보낸다. 재미있는 익살과 명랑한 기운으로 두 딸은 언제나 나에게 영감을 준다. 그리고 나의 남편이자 가장 친한 친구인 댄에게도 사랑의 마음을 전한다. 그가 끓여 준 수백 잔의 차가 있었기에 이 책을 쓸 수 있었다.

집주인에게 고한다 계약을 연장하라!

1판 1쇄 발행 2019년 11월 11일 1판 2쇄 발행 2020년 6월 16일
지은이 카리나 얀 글레이저
펴낸이 남영하
편집 장미연 이신아 디자인 박규리 마케팅 김영호
종이 세종페이퍼 인쇄·제본 더블비
펴낸곳 ㈜씨드북 등록 제2012-000402호
주소 03149 서울시 종로구 인사동7길 33 남도빌딩 3F
전화 02) 739-1666 팩스 0303) 0947-4884
홈페이지 www.seedbook.co.kr 전자우편 seedbook009@naver.com
인스타그램 instagram.com/seedbook_publisher
페이스북 facebook.com/seedbook.kr
ISBN 979-11-6051-299-1 (43840)

책값은 뒤표지에 있습니다. 잘못 만들어진 책은 구입하신 서점에서 바꾸어 드립니다.

이 도서의 국립중앙도서관 출판예정도서목록(CIP)은 서지정보유통지원시스템 홈페이지(http://seoji.nl.go.kr)와
국가자료공동목록시스템(http://www.nl.go.kr/kolisnet)에서 이용하실 수 있습니다.
(CIP제어번호:2019043929)